Dedicatória

Eu, _____,
desejo que você, _____,
seja um grande empreendedor.
Se empreender, não tenha medo de falhar.
Se falhar, não tenha medo de chorar.
Se chorar, repense sua vida, mas não recue.
Dê sempre uma nova chance para si mesmo.
Lute sempre pelos seus sonhos.
Revolucione sua qualidade de vida.
Seja profundamente apaixonado pela vida,
pois a vida é um espetáculo imperdível!

_____, ____/____/_____

assinatura _____

Augusto Cury

Revolucione sua qualidade de vida

Navegando nas águas da emoção

preparo de originais
Regina da Veiga Pereira

revisão
Ana Lúcia Machado, Clarissa Peixoto e Sérgio Bellinello Soares

projeto gráfico e diagramação
DTPhoenix Editorial

capa
Raul Fernandes

impressão e acabamento
Lis Gráfica e Editora Ltda.

CIP-BRASIL. CATALOGAÇÃO-NA-FONTE
SINDICATO NACIONAL DOS EDITORES DE LIVROS, RJ

C988r Cury, Augusto Jorge, 1958-
Revolucione sua qualidade de vida: navegando nas águas da emoção; / Augusto Cury – Rio de Janeiro: Sextante, 2002.

ISBN 85-7542-038-0

1. Emoções. 2. Inteligência. 3. Conduta. 4. Qualidade de vida. I. Título.

02-1707

CDD 152.4
CDU 159.942

Todos os direitos reservados, no Brasil, por
GMT Editores Ltda.
Rua Voluntários da Pátria, 45 – Gr. 1.404 – Botafogo
22270-000 – Rio de Janeiro – RJ
Tel.: (21) 2538-4100 – Fax: (21) 2286-9244
E-mail: atendimento@sextante.com.br
www.sextante.com.br

Sumário

Prefácio 7

Capítulo 1
O admirável mundo da mente humana 9

Capítulo 2
O cárcere do medo: a história da "barata psicológica" 21

Capítulo 3
A chave para entender o funcionamento da mente 29

Capítulo 4
Não existe equilíbrio psíquico: a misteriosa energia psíquica 38

Capítulo 5
O registro automático da memória: o fenômeno RAM 46

Capítulo 6
Grande cidade da memória: as zonas de tensão da emoção gerando as favelas 53

Capítulo 7
A reedição do filme do inconsciente: a memória não se deleta 71

Capítulo 8
Não há lembrança: o passado é reconstruído 88

Capítulo 9
O fascinante mundo das ideias 97

Capítulo 10
As janelas da memória e o gatilho que abre os arquivos 106

Capítulo 11
Como Haw reeditou a sua memória e enfrentou o labirinto 120

Capítulo 12
Um homem fascinante que soube caminhar nos labirintos 135

Capítulo 13
Destruindo o meu labirinto 148

Prefácio

Uma procura incansável de nossas origens

Estamos descobrindo o imenso espaço. Sabemos que há mais de cem bilhões de galáxias. Algumas contêm milhões de estrelas e planetas. O universo é imenso e cheio de enigmas. Todavia, a vida que pulsa dentro de você e de mim é o maior enigma e o maior espetáculo no palco da existência.

A maior dúvida da ciência não é conhecer os mistérios sobre o mundo em que estamos, mas os segredos sobre o mundo que somos. Milhões de livros não conseguem explicar sequer qual a natureza da solidão de uma criança abandonada nas ruas onde vive sem o conforto dos seus pais e sem proteção social.

Quem somos nós? Como pensamos e sofremos pelos problemas do amanhã, se o amanhã inexiste? Como nos angustiamos pelo passado e o remoemos, se ele não pode retornar? Como confeccionamos a consciência de que existimos e somos um ser único no teatro da vida? A vida é um grande espetáculo. Só não consegue homenageá-la quem nunca penetrou dentro do próprio ser e percebeu como é fantástica a construção da sua inteligência.

Apesar de a vida humana ser belíssima, ela é muito breve, tal como uma chama que rapidamente cintila e logo se dissipa. Nem parece que muitas gerações viveram nesta Terra, que muitas crianças brincaram, que muitos adultos sonharam e que muitos idosos se sentaram nas varandas de suas casas. Eles se foram e agora é a nossa vez de encenarmos nossas vidas no palco do tempo. Se não ficarmos atentos, a meninice e a velhice se encontram com muita rapidez e, quando nos dermos conta, estaremos prestes a nos tornar uma página na História.

Você tem consciência da brevidade da vida? Tal consciência o estimula a buscar a sabedoria e investir em qualidade de vida? Se estimula, suas derrotas se tornarão adubo para a sua vitória e suas falhas irrigarão sua capacidade de aprender. Desse modo, você se tornará um profissional mais eficiente, um amigo mais compreensivo, um pai mais profundo, uma mãe mais amorosa, um jovem mais inteligente.

Soa estranho, mas o homem e a mulher modernos vivem frequentemente uma grande solidão. Falam com todos ao seu redor, mas raramente falam com eles mesmos e repensam a sua vida. Você pode aceitar que muitas pessoas que o rodeiam estejam distante de você, mas jamais pode aceitar ser um estranho para si mesmo. Caso contrário, não verá dias felizes e não caminhará com segurança pelos labirintos da vida.

Precisamos expandir as funções mais importantes da inteligência lógica, emocional e multifocal para desenvolver qualidade de vida, realizar nossos sonhos, conquistar nossas metas, manipular ferramentas para velejar nas águas da emoção e superar as dificuldades que ocorrem em nosso ambiente social e profissional. Diante disso, gostaria de convidar você para conhecer algumas áreas secretas da alma humana. A sua alma.

Dr. Augusto J. Cury

Capítulo 1

O admirável mundo da mente humana

O pequeno e infinito mundo da alma humana

A emoção é um dos grandes enigmas da inteligência. A matemática da emoção não obedece aos princípios da *inteligência lógica*. Podemos ser ricos financeiramente, mas miseráveis emocionalmente. Por exemplo, muitos homens são competentes profissionalmente. Tornam-se milionários, constroem palácios e imponentes jardins, têm excelente sucesso financeiro, mas não conseguem expandir sua tranquilidade e prazer de viver. Todavia, quem admira seus palácios e tem tempo para contemplar a beleza das flores dos seus jardins são seus empregados mais simples. Então, quem é rico?

A alma humana é um pequeno e infinito mundo. Pequeno, porque cabe dentro de cada ser humano, mesmo de uma criança abandonada pelas ruas. Infinito, porque é insondável em sua plenitude. Diariamente pensamos, refletimos, raciocinamos, sentimos solidão, medo, ansiedade, alegria, tranquilidade. Não temos consciência de como isso é complexo. Explorar e cuidar carinhosamente desse pequeno e infinito mundo que somos é a nossa grande responsabilidade.

Ninguém come alimento estragado, vencido, contaminado ou com a embalagem destruída. Cuidamos da qualidade do que ingerimos e dos produtos e serviços que produzimos. Mas somos péssimos para cuidar de nossa qualidade de vida emocional e intelectual. Não sabemos proteger nossa emoção e gerenciar nossos pensamentos para sermos alegres, serenos, lúcidos. O resultado é que muitas pessoas, apesar de serem livres por fora, são escravas por dentro.

O ser humano sempre valorizou ardentemente a liberdade, mas é mais fácil governar um país e administrar grandes empresas do que dirigir o palco da nossa mente. Faremos uma grande caminhada para dentro desse palco. Procuraremos entrar em algumas áreas dos seus bastidores. Como ele é um mundo cheio de enigmas, tentarei fazer com que essa caminhada seja suave e carregada de lições de vida. Contarei muitas histórias.

Em algumas dessas histórias nos alegraremos, em outras, talvez, choraremos. Aproveitarei essa caminhada para explicar alguns fenômenos de um dos livros mais famosos da atualidade, *Quem Mexeu no Meu Queijo?*.[1] Não se preocupe, você não precisa ter lido esse livro para entender este.

O livro *Quem Mexeu no Meu Queijo?* possui um título estranho e engraçado e contém uma história simples sobre como superar dificuldades, como se adaptar às mudanças que ocorrem em nossas vidas e enfrentar os problemas que atravessamos. Por isso, ele se tornou um dos maiores *best-sellers* mundiais. Apesar do sucesso estrondoso, ele deixou várias lacunas sem explicação sobre o mundo da emoção e dos pensamentos. Por exemplo, a grande questão não é simplesmente enfrentar os problemas profissionais e os transtornos emocionais, mas como desenvolver habilidades para enfrentá-los e solucioná-los.

---

[1] JOHNSON, Spencer. Editora Record, Rio de Janeiro, 1998.

Podemos ser autores ou vítimas de nossa história. Qual a sua escolha? Embora o livro *Quem Mexeu no Meu Queijo?* não tenha grandes explicações sobre o funcionamento da mente, ele cativou milhões de leitores em todo o mundo por sua clareza e simplicidade, e tem sido usado por grandes empresas e por inúmeras instituições, incluindo escolas e entidades religiosas. Ele foi escrito pelo respeitado Dr. Spencer Johnson, M.D., com prefácio e comentários de Kenneth Blanchard, ph.D., prestigiado consultor de gerenciamento.

Por não ser um pesquisador da psicologia, o Dr. Johnson não sentiu necessidade de esclarecer em seu livro os fenômenos psicológicos que ocorreram na mente dos personagens que ele descreveu. Como eu pesquiso na área há mais de vinte anos e desenvolvi uma das teorias da atualidade sobre a construção da inteligência, procurarei explicar neste livro esses fenômenos.

Procurarei elucidar como surgem a insegurança, a ansiedade, o desespero, a solidão, o cárcere da emoção, os bloqueios da inteligência e os princípios básicos que devemos observar para vencer as mazelas da nossa alma.

Para dar um exemplo: *Quem Mexeu no Meu Queijo?* fala do medo que impede as pessoas de tomarem atitudes, mas não explica como ele é produzido. Em *Revolucione Sua Qualidade de Vida* explico como é gerado o medo na mente humana e ainda como ele controla a inteligência. Explico também por que as pessoas que desenvolveram apenas a inteligência lógica não conseguem superar seus medos, perdas e bloqueios, nem trabalhar em equipe.

Revolucione Sua Qualidade de Vida procura estimular o leitor a desenvolver as funções mais importantes da inteligência. Procura também elucidar como se formam os conflitos humanos, como reeditar o filme do passado, como gerenciar os pensamentos e educar nossa emoção para sermos felizes, seguros, tranquilos. Você sabia que todos os dias você planta flores ou deposita lixo nos solos da sua memória? Quero lhe mostrar que a emoção não aceita atos heroicos. Não adianta repetir: "De hoje em diante serei uma pessoa calma e tranquila", "De agora em diante serei uma pessoa feliz e motivada". Grande engano! Só treinando e educando a emoção poderemos revolucionar nossa qualidade de vida.

Muitos ouvem palestras de motivação durante o fim de semana, mas, no corre-corre da segunda-feira, o rolo compressor das suas atividades faz evaporar as palavras que escutaram, pois não aprenderam técnicas para gerenciar seus pensamentos, reescrever sua memória e ser líderes de si mesmos.

Falar sobre motivação e transformação da personalidade sem compreender o funcionamento da mente é produzir uma miragem no deserto, linda aos olhos, mas inalcançável. Desejo dar uma contribuição para que os leitores possam superar a prisão do medo e desenvolver as funções mais importantes da inteligência para se tornarem pessoas realizadas, seguras e felizes.

Podemos pilotar ou ser pilotados pelos problemas. Podemos ser autores ou vítimas de nossa história. Qual é a sua escolha?

Os personagens, o queijo e o ambiente

O livro do Dr. Johnson fala de quatro personagens: Hem, Haw, Sniff e Scurry, que estão dentro de um labirinto em busca de Queijo. Hem e Haw são dois duendes e Sniff e Scurry, dois ratos. Esses personagens representam quatro tipos de personalidade humana.

Estudaremos que uma dessas personalidades pode representar a sua, pelo menos em parte. Em meu livro, esses personagens não serão duendes e ratos, e sim tratados como quatro tipos de pessoas. Em alguns casos, esses personagens podem representar quatro aspectos de uma mesma personalidade.

Aqui, além de dar uma identidade humana aos personagens do livro *Quem Mexeu no Meu Queijo?*, voltarei no tempo e contarei uma história em que eles ainda eram crianças. Procurarei mostrar as etapas de formação da personalidade de Hem, Haw, Sniff e Scurry até adquirirem as características saudáveis ou doentias de adultos. Será uma belíssima e agradável aventura. Mesmo que você tenha pouquíssimo conhecimento sobre psicologia, aos poucos, você vai entender. Este livro é de divulgação científica. É minha tarefa torná-lo compreensível.

O *Queijo* significa todas as coisas belas e prazerosas da vida: um casamento feliz, a relação amorosa com os filhos, o trabalho, novos negócios, novas descobertas, os sonhos, os projetos, as metas. Mexer no Queijo significa mexer naquilo que lhe traz felicidade, tranquilidade, segurança. Significa atrapalhar e perturbar aquilo que você mais ama, aspira e sonha. Ter Queijo em abundância era a meta de cada um dos personagens e deve ser a meta de cada um de nós.

O *labirinto* é o lugar onde você procura seu Queijo, em que você busca suas realizações pessoais e profissionais: o ambiente familiar, a empresa, o clube de lazer, a universidade, a sociedade, entre outros. Mas o principal labirinto está dentro de você, nos territórios da emoção e nos solos de sua memória.

Qual é o problema?

O pior problema não é o trauma original como Freud pensava, mas a leitura e a expansão contínua do trauma. Vou explicar. O problema não é a dor original causada por uma rejeição, crítica, problemas profissionais, perda de emprego, separação conjugal, acidente, frustração. O problema é a leitura que continuamos fazendo dessa dor emocional e os novos registros que ocorrem depois de cada leitura.

As leituras e os registros repetidos das nossas experiências negativas vão alimentando e expandindo os traumas no delicado terreno da memória. Se considerarmos uma dor original como uma casa de favela, com o passar do tempo cada registro acrescenta novas casas, gerando imensas favelas no inconsciente. A ampliação do trauma rouba a segurança, assalta a alegria de viver, abate a luta pelos ideais de vida. Cada favela é uma zona de conflito. Quantas favelas cada um de nós tem? Veja o caso das ofensas, tão comuns nas relações sociais. Quando alguém nos ofende, se imediatamente não protegermos a emoção, a ofensa causará um sofrimento que será registrado como uma zona de conflito na memória. Leremos inúmeras vezes essa ofensa e ficaremos horas, dias ou semanas pensando nela. Cada vez que pensarmos e sofrermos, faremos novos registros, ampliando intensamente o trauma original, expandindo as favelas da memória. Ficaremos com raiva da pessoa que nos ofendeu, e a raiva envenenará nosso encanto pela vida. O perdão alivia a alma e a raiva coloca combustível na ansiedade.

Lembre-se de que o Queijo simboliza tudo aquilo que amamos e sonhamos. Estudaremos que quem mexe no nosso estoque de Queijo são as zonas de conflito arquivadas em nossa memória e as armadilhas que aprisionam a emoção.

Revolucione Sua Qualidade de Vida é um livro que representa, portanto, um grito de alerta dizendo: "Cuidado! Quem é o destruidor dos seus sonhos e de tudo o que você mais ama são as favelas ou zonas de conflitos secretamente arquivadas nos solos da sua memória. Essas favelas encarceram sua emoção e o impedem de ser livre, feliz, paciente, tolerante, seguro, corajoso, determinado, criativo. Se você quiser revolucionar seu prazer de viver, precisa abrir as janelas da sua inteligência e reurbanizar essas favelas."

Desejo que você compreenda algumas áreas do funcionamento da mente. Ao compreendê-las, espero que adquira ferramentas para mudar alguns pilares de sua história. Que você conquiste habilidade para plantar jardins nos recônditos do seu ser e não fazer de sua emoção e de sua memória um depósito de entulhos.

Buscando novos estoques de Queijo

Por que a alma humana e os ambientes em que vivemos são complexos labirintos? Porque ninguém consegue controlar tudo o que lhe acontece. Veja o exemplo de uma pessoa que sofre um ataque de pânico, é demitida do emprego ou rompe um relacionamento. Seu problema causa um grande transtorno emocional, mudando o modo como ela reage e encara a vida. Ela fica sem o Queijo e perdida no sinuoso labirinto.

Algumas situações são previsíveis e evitáveis nas relações sociais e profissionais. Mas há outras imprevisíveis e inevitáveis, que comentarei. Precisamos de muita sabedoria para suportá-las, compreendê-las e superá-las.

Hem, Haw, Sniff e Scurry se encontram num grande labirinto em busca de estoques de seus Queijos preferidos. Certo dia, os quatro personagens encontram um enorme estoque de Queijo num determinado posto do labirinto e ficam extasiados, felizes.

Você já encontrou um grande estoque de Queijo em sua vida? Já encontrou uma pessoa que você ama e ao lado da qual se sente feliz? Já conquistou um trabalho que o realiza e lhe dá prazer? Já descobriu um ambiente específico para materializar seus sonhos?

O estoque de Queijo que Hem, Haw, Sniff e Scurry encontraram era tão grande que parecia inesgotável. Mas o tempo passou e tudo o que representava o Queijo para eles minguou. O amor secou, o ambiente de trabalho se tornou um canteiro de problemas e de tédio, as cobranças surgiram, os amigos ficaram distantes, os sonhos se evaporaram, as angústias surgiram, o desânimo brotou, o medo apareceu e a insegurança criou raízes. Enfim, o estoque de Queijo acabou!

O que fazer? Paralisar-se, reclamar, se autodestruir, se esconder, ou procurar novas atitudes e explorar novos territórios? Como resgatar o amor do ser amado, como expandir nossa inteligência, ser mais eficiente no trabalho e reconquistar os amigos?

Aí entra o problema. É preciso escolher entre se aventurar no labirinto para encontrar novos estoques de Queijo ou ficar reclamando e esperando um milagre ocorrer e, assim, surgir magicamente mais Queijo naquele lugar. Mas será que o labirinto não é perigoso? Será que Hem, Haw, Sniff e Scurry irão morrer mais rapidamente se percorrerem caminhos desconhecidos? Como ter energia para superar o medo e se aventurar no labirinto? Os personagens se comportam de modo diferente quando acaba o estoque de Queijo. Examinaremos esses comportamentos e, sobretudo, como eles foram produzidos.

Como você se comporta quando seu estoque de Queijo está diminuindo? Você não percebe a mudança, pois acha que as melhores coisas de sua vida não precisam ser cultivadas porque crê que elas são inesgotáveis? Infelizmente alguns tipos de Queijo que você mais ama acabarão. O que você fará?

Este livro não tem um mapa, mas dará preciosas pistas. Não confie nos mapas, mas na sua intuição, na sua habilidade de velejar nas águas da emoção e percorrer as vielas do seu ser.

Saia do casulo

Alguns pais só percebem que seus filhos estão com problemas quando eles ficam muito doentes e a situação se torna insuportável. Alguns maridos só descobrem que suas esposas estão profundamente feridas por eles quando elas pedem o divórcio.

Algumas esposas só percebem que seus casamentos estão falidos quando o marido sai de casa.

Do mesmo modo, alguns profissionais só percebem que estão ultrapassados quando sua permanência na empresa fica insustentável, quando se sentem completamente superados ou quando recebem o aviso prévio. Outras pessoas não sabem investir minimamente em qualidade de vida, por isso só mudam seus hábitos depois de sofrerem um enfarte.

Todo ser humano, inclusive os psiquiatras e psicólogos, tem dificuldade de gerenciar seus pensamentos e emoções. Ninguém é senhor pleno de seu próprio mundo psíquico. O maior conflito consiste em negar nossas misérias interiores. O maior problema é vedar os olhos para não enxergar os próprios problemas.

Sábio é o ser humano que tem coragem de ir diante do espelho da sua alma para reconhecer seus erros e fracassos e utilizá-los para plantar as mais belas sementes nos terrenos de sua inteligência. Você se considera sábio?

É por isso que você precisa descobrir agora como passar a ser líder de si mesmo e desobstruir sua inteligência para perceber as mudanças desde seu surgimento, monitorá-las, e partir com garra e coragem para novas conquistas nos labirintos de sua vida. Isto é o que este livro se propõe a fazer por você.

Em qualquer época da vida podemos mudar nossa personalidade. Para tanto, basta mudarmos as zonas de conflito da memória. Mas como é na infância que as zonas de conflito são formadas, torna-se mais difícil mudar a nossa maneira de ser e reagir depois de adultos.

Mas isso não significa que seja impossível. Embora o adulto tenha mais dificuldade de mudar a colcha de retalhos de sua personalidade, é sempre possível transformá-la, principalmente se formos flexíveis e aprendermos a reescrever nossa história.

Infelizmente, há muitas pessoas fechadas num casulo. São cultas, mas engessadas. São eloquentes, mas não sabem falar a linguagem da emoção. Querem ser líderes em suas empresas e nas instituições onde trabalham, mas não são líderes de si mesmas.

Se você não souber abrir as janelas da sua mente, ampliar a arte de pensar e aproveitar as oportunidades que lhe aparecem, então seu labirinto será uma prisão. Não viva num casulo, corra riscos para realizar seus sonhos e conquistar qualidade de vida. Estou aqui para dar a você algumas pistas desse esplêndido e sinuoso labirinto.

Viajando para dentro de nós mesmos

Para ilustrar a viagem para dentro da alma humana, contarei, como disse, uma história em que Hem, Haw, Sniff e Scurry estão na fase ingênua da infância. Só que os colocarei no ambiente de uma família problemática. Essa história revelará como é fácil bloquearmos nossa inteligência e adquirirmos transtornos emocionais nos primeiros anos de vida.

Quando conto essa história em conferências e treinamentos da Academia de Inteligência, instituto que dirijo, a reação das pessoas tem sido: "Ah! Finalmente entendo como meus problemas no passado encarceraram a minha emoção", "Agora compreendo por que sou tímido e inseguro", "Agora percebo por que nos focos de tensão travo a minha inteligência e perco minha ousadia e criatividade".

Não faz muito tempo, contei essa história num Congresso Internacional de Educação para cerca de oitocentos educadores, coordenadores pedagógicos de ensino fundamental e médio, diretores de universidades. Eles representavam um universo de mais de trezentos mil alunos. Porque ela é engraçada, muitos sorriram ao mesmo tempo em que compreenderam certos segredos do pequeno e infinito mundo que somos. Alguns ficaram perplexos ao perceber como é fácil obstruirmos nosso intelecto.

Talvez você também se surpreenda ao descobrir o pequeno e, ao mesmo tempo, infinito mundo psíquico. É provável que enxergue algumas chaves que lhe permitirão reescrever alguns dos principais capítulos de sua vida. As coisas mais importantes da inteligência são invisíveis para os olhos. Precisamos enxergá-las com os olhos do coração.
Com que tipo de olhos você enxerga as principais coisas da sua vida?

Um breve comentário antes da história

Antes de começar minha história, deixe-me fazer uma pergunta. Quem tem medo de barata: os homens ou as mulheres? Acho que a maioria das pessoas responderia sem hesitar: "As mulheres!" A resposta seria imediata, pois os homens negam seus medos. Alguns deles sobem na mesa e têm arrepios diante das baratas, mas dizem que não têm medo delas, mas "respeito" por elas.

Muitos homens são escravos de medos, tais como medo do futuro, de contrair doenças, de ficar sexualmente impotente, da opinião dos outros sobre eles, de serem superados, de perderem o emprego, de não saberem se expressar em público, e por aí afora. Apesar de também serem vítimas de vários tipos de medo, os homens frequentemente são especialistas em disfarçá-los. Preferem represá-los a resolvê-los.

Gostaria de corrigir o erro cultural que afirma que as mulheres são mais frágeis que os homens. As mulheres amam mais, são mais poéticas, mais sensíveis, se doam mais, vivem mais as dores dos outros, são mais éticas, causam muito menos transtorno social e cometem menos crimes do que os homens. Por terem uma emoção mais rica do que a deles, as mulheres ficam menos protegidas emocionalmente e, por isso, de acordo com algumas estatísticas psiquiátricas, as mulheres estão mais sujeitas a doenças emocionais.

Em psiquiatria, chamamos o medo doentio de fobia. Fobia é uma reação exagerada, desproporcional, diante de um objeto, situação ou ser vivo. Existe um medo normal e necessário, que nos protege. É o caso do medo que surge quando se vive um risco real: sob a mira de uma arma, uma freada brusca de um carro. Mas neste livro, toda vez que me referir ao medo, estarei falando do *medo doentio*.

Capítulo 2

O cárcere do medo: a história da "barata psicológica"

Os membros da família Robin

A sala de uma casa é frequentemente um labirinto. Lá acontecem muitas conversas, atritos, discussões, lágrimas, beijos, abraços, encontros e desencontros. Minha história começa numa sala onde se encontrava uma família constituída de quatro pessoas: Sr. Robin, o pai, Dona Susan, a mãe, e dois filhos gêmeos idênticos: Hem e Haw, que na época tinham seis anos de idade.

O relacionamento do casal estava abalado. Havia pouco carinho e muita discussão. Não toleravam as pequenas falhas um do outro, não respeitavam suas diferenças. O casamento tinha cor de rotina e aroma de ansiedade. Sorrisos e brincadeiras tinham sumido. Elogios mútuos viraram artigo de luxo. Dona Susan torcia para que seu marido chegasse tarde do trabalho, pois o ambiente familiar era mais tranquilo na sua ausência. Pequenos problemas eram mal administrados.

O casal fazia um esforço enorme para disfarçar diante dos filhos os atritos e o minguado amor que existia entre eles. O Sr. Robin e Dona Susan não sabiam que a memória de Hem e Haw era uma esponja que absorvia muito mais do que eles imaginavam.

Dona Susan andava muito irritada. Não suportava as algazarras, as brincadeiras e as brigas dos filhos, tão comuns na infância. O Sr. Robin dizia frequentemente que trabalhava para o futuro deles. Dava muitos presentes para as crianças, mas não dava o maior de todos os presentes: ele mesmo, sua dedicação, seu amor. Não rolava no tapete, não brincava, nem contava histórias para eles. Nunca pedia desculpas quando errava, pois "o pai não pode perder sua autoridade". Dessa forma, seus filhos também não aprendiam a reconhecer seus erros, nem usá-los para crescer e amadurecer.

O Sr. Robin chegava sempre muito estressado do trabalho. Era um executivo importante, mas sua empresa estava em crise devido à competição acirrada e aos desafios do mundo globalizado. Ele fazia um esforço enorme para dar aos colegas a impressão de que tudo ia bem. Não conseguia acompanhar as mudanças do mercado, usava velhos métodos tentando encontrar novas soluções, e tinha tecnofobia, ou seja, medo de novas tecnologias. Achava sua mente lenta demais para aprender coisas novas. Tudo que era novo significava uma ameaça para ele.

O Sr. Robin reclamava muito e trabalhava sem prazer. O salário no final do mês era a única motivação para suportar a enfadonha rotina profissional. Não se reciclava, não tinha sonhos, não praticava esportes, nem fazia programas de lazer. Pensava muito na sua aposentadoria, pois já aposentara sua mente. Tinha apenas quarenta anos, mas parecia um velho em final de carreira. Escondia seu desânimo atrás da firmeza da voz e do terno e gravata impecáveis. Sua única diversão era a velha TV.

Certo dia, numa ensolarada tarde de sábado, o Sr. Robin, como frequentemente fazia, estava assistindo a um filme na TV. Era um filme policial. Ele gostava dos filmes policiais produzidos pela indústria de Hollywood. Apreciava os tiros, as armas, as prisões. Amava culpar os outros por suas próprias misérias, e por isso detestava bandido.

O filme, como sempre, tinha um bandido sem história, um vilão sem uma personalidade definida, que devia ser caçado até as últimas consequências e ser preso ou morto por um herói. A indústria de Hollywood, com exceções, é assim. Ela produz assassinos e delinquentes sem revelar a história de formação da sua personalidade, como se eles nunca tivessem tido infância, nunca tivessem sido agredidos, violentados, chorado, amado, passado privações.

Esses filmes geram no inconsciente coletivo o desejo de matar, destruir, aniquilar pessoas, sem compreender as causas que as levam à violência. É violência contra violência. O Sr. Robin era fascinado por esse tipo de filme, sem questioná-lo.

Ele se envolve cada vez mais com o filme, se identificando com o herói. Pouco a pouco, vai projetando sua raiva e ansiedade não resolvidas no bandido. Por isso se contorce na poltrona e torce para que o marginal seja morto ou preso. Está profundamente concentrado. Todas as janelas da sua memória sobre os seus reais problemas estão fechadas no momento.

Enquanto o Sr. Robin assiste atentamente ao filme da TV, Dona Susan lê uma das famosas revistas que só têm "anatomia do corpo", colunáveis, modelos fotográficos e outras atrações do gênero. É uma leitura que não contribui em nada para a sua inteligência, pois são poucas as informações capazes de estimular sua capacidade de pensar.

Ela olha para as pessoas famosas estampadas na revista e sente que o mundo delas é interessante e sem rotina, bem diferente do seu. Nem passa por sua cabeça que muitos famosos vivem numa bolha de solidão, perderam a espontaneidade do sorriso e do modo de ser. Ela projeta inconscientemente seu sonho nos famosos e estabelece um padrão de felicidade absolutamente inatingível.

Como a maioria das pessoas, Dona Susan gostaria de ser famosa, convencida de que, assim, seria mais feliz e valorizada. Ela não percebe que a fama é uma das maiores armadilhas do mundo moderno e que, frequentemente, apenas os primeiros degraus da fama geram prazer. Os últimos degraus do sucesso são enfadonhos e angustiantes: a angústia para permanecer lá é enorme e, principalmente, perde-se a capacidade de contemplar o belo e extrair alegria das pequenas coisas da vida.

Dona Susan também observa atentamente os modelos fotográficos da revista e compara seu corpo com o delas. Não sabe que, cada vez que vê o corpo de uma *top model*, ela fotografa na sua memória este corpo, desenhando inconscientemente um padrão de beleza. No mês, são milhares de imagens arquivadas, gerando um modelo doentio e irreal do que é ser belo.

Ela tem trinta e cinco anos. Sua autoestima está zerada. Ainda é uma bela mulher, mas se sente horrível. Ela deveria dizer para o Sr. Robin: "Eu me acho muito bonita." Em vez disso, não para de reclamar e chamar a atenção dele para os defeitos do seu corpo. Não compreende que a beleza está nos olhos de quem a vê. Não percebe que reclamar dos seus supostos defeitos físicos assassina inconscientemente o encanto que o marido possa ter por ela.

Dona Susan, infelizmente, envelheceu rapidamente no único lugar em que não é admissível envelhecer: no território da emoção. O espelho virou seu inimigo, mas quanto mais o detesta, mais gasta tempo se olhando nele. Talvez as mulheres fossem mais felizes se não houvesse espelhos.

Enquanto o Sr. Robin está concentrado na TV e Dona Susan envolvida com as imagens da revista, Hem e Haw brincam na sala com dois primos, Sniff e Scurry, que têm quase a mesma idade deles.

Os meninos rabiscam papéis, criam personagens, mexem uns com os outros. Vivem no mundo ingênuo, simples e espontâneo da fantasia. O Sr. Robin chama constantemente a atenção dos garotos. Eles estão atrapalhando seu filme. Dona Susan também implica com eles, pois perturbam sua concentração.

Subitamente surge um personagem estranho

De repente, algo quebra a aparente harmonia daquela típica família moderna. Entra em cena um personagem inesperado que tumultua o ambiente: uma barata. Uma barata toda descontraída circula pelo meio da sala, como se nada no mundo pudesse ameaçá-la.

Quem vê primeiro a barata? Dona Susan! A barata é sua inimiga mortal. As duas não podem estar no mesmo ambiente sem que ela entre em crise. Quando Dona Susan vê sua inimiga "número um" transitando pela sala, solta um grito estridente. O grito é tão alto que quase mata de enfarte o marido! Antes do grito da esposa, o Sr. Robin estava vidrado na tela da TV. Odiava o vilão do filme. Considerava-o um psicopata, indigno de viver. Mas o tempo passava, e o herói do filme não conseguia prender o bandido. O Sr. Robin não aguentava mais sofrer. Ele se contorcia na cadeira cada vez que o bandido escapava. Às vezes, balbuciava uma crítica contra o *herói:* "Esse cara é muito frouxo! Tem péssima pontaria! Desse jeito ele nunca destruirá esse miserável!" Estava com tanta raiva do bandido que tinha vontade de entrar no filme, pegar a arma do "mocinho", mostrar sua valentia e resolver a parada.

Ao ouvir o grito dramático de sua esposa, o Sr. Robin leva algum tempo para perceber o que está acontecendo! Sua mente fica travada e ele se sente paralisado, inerte, até que pouco a pouco diminui o nível de tensão emocional. Com isso, ele abre as janelas de sua memória, destrava sua inteligência e volta a raciocinar.

Quando se recompõe, o Sr. Robin vê sua esposa em crise, em cima do sofá, gritando sem parar: "Mata essa desgraçada!" Ele, ainda assustado, pergunta: "Quem?" Ela, misturando medo e raiva, aponta para a lateral da sala e esbraveja: "A barata! Não está vendo, seu cego!"

Então, algo surpreendente acontece: o filme de Hollywood começa a se passar ao vivo e a cores dentro daquela sala. Quem é o bandido? A barata! Quem é o herói? O Sr. Robin.

A barata se torna o inimigo mortal daquele homem. Ela precisa morrer! Assim como em muitos filmes de Hollywood, ela é a encarnação do mal e não merece respirar neste mundo.

O Sr. Robin então se torna o grande herói daquele *reality show*. Ele estufa o peito e começa a sua nobre caçada. Entretanto, o Sr. Robin é ruim de pontaria. Ele pega um dos seus sapatos e com a maior confiança atira na bandida, mas erra. Pega seu outro sapato, mira ansiosamente, mas erra de novo o alvo.

Como uma espectadora angustiada, Dona Susan grita: "Você é um péssimo atirador!" A ansiedade do Sr. Robin vai às nuvens. Ele foi confrontado. Não suporta crítica. No trabalho, quando alguém o critica, é um convite para ser despedido. Qualquer confronto trava sua inteligência e o torna agressivo. Engolindo em seco a afronta da esposa, ele pega a sandália dela, mira sem perdão na barata e erra mais uma vez. Irritadíssimo, pega a outra sandália, atira e erra novamente.

A partir daí, começa a artilharia. Pega tudo ao seu alcance, até a revista de Dona Susan e atira na maldita. Ela grita: "A revista não!" Ele retruca: "Numa guerra, qualquer coisa vira arma, mulher." Contanto que a insuportável inimiga morra, qualquer coisa serve para eliminá-la. Mas a barata resiste bravamente. Ela corre para lá e para cá, faz meia-volta e dá um verdadeiro baile em nosso herói. Nunca aquele homem foi tão humilhado!

A tensão aumenta. Dona Susan começa a gritar histericamente: "Se você não matar essa barata, eu não durmo em casa! Vou para casa da mamãe!" Essas palavras trituram a emoção do Sr. Robin. Ele fica desesperado. Não sabe se tem mais raiva da barata ou da petulância de sua esposa.

Infelizmente, nosso herói reproduz na sala de casa o que faz no ambiente de trabalho. Não sabe dimensionar o tamanho do seu problema, não sabe suportar pressão, tem dificuldade de pensar antes de reagir. Não tem habilidade para filtrar o falatório negativo e tomar atitudes para resolver o real problema. O real problema não é a barata exterior, mas a "barata psicológica" que está nos becos da inteligência de sua esposa.

A ansiedade do Sr. Robin se torna tão dramática que ele começa a canalizá-la para seu córtex cerebral (a camada mais evoluída do cérebro) e daí para seu corpo, gerando diversos sintomas psicossomáticos. Ele sua frio. Seu coração palpita, e ele fica ofegante, com a frequência respiratória aumentada. Tais sintomas são decorrentes do profundo estado de estresse diante de um inimigo fatal, ainda que seja virtual ou esteja superdimensionado. Ele não percebe, mas os piores inimigos se encontram dentro dele e de sua esposa.

O corpo do Sr. Robin está em estado de alerta, seja para lutar ou para fugir da situação de risco. Claro que ele não irá fugir da raia! Seria uma vergonha para um homem autoritário admitir que perdeu o combate. Seria o fim do seu casamento ou pelo menos o fim de seu débil "controle" como pai e marido. Ele pode enfartar, mas não entrega os pontos. Por isso, mesmo detestando seu dia de herói, ele continua a batalha mais ferrenha de sua vida.

De repente, a barata lhe dá uma colher de chá. Ela simplesmente para e fica imóvel diante dos seus olhos. Ele balbucia: "Agora eu mato essa miserável." Lentamente se aproxima dela e pega com o maior cuidado um de seus sapatos. Dá mais um minúsculo passo para não ter margem de erro. Levanta sua arma. Fica a dez centímetros de sua inimiga. E, quando solta o braço, a barata, como a maior atleta do mundo, escapa num sobressalto. Sai do alvo de ataque e entra debaixo de uma das poltronas.

O Sr. Robin nunca se sentiu tão diminuído. Para aumentar sua dor, a esposa lhe dá um golpe fatal. Ela vomita algumas palavras que há anos fermentavam em sua alma, mas não tinha coragem de dizer: "Seu incompetente! Você nunca consegue terminar o que faz!"

Aquelas palavras fazem o mundo desabar sobre o Sr. Robin. Ele revida de forma estridente: "Eu mato essa desgraçada e depois peço o divórcio! Eu não suporto mais você!" Uma pequena barata tornou-se a gota d'água do final desse casamento.

Nosso herói fica completamente irracional. Sente calafrios e tremores pelo corpo. Fica transtornado e transformado. Sua face muda, parece que se tornou o super-homem. Num gesto violento, e gritando, remove a poltrona. A barata leva um susto. Pressente que está chegando seu fim, percebe que seu inimigo é um homem incansável e saturado de ódio. Ele corre atrás dela, dá chutes, mas não acerta. Começa a pular com os dois pés em cima dela, gritando sem parar. Pula e grita, grita e pula.

Então, depois de dez minutos de intensa batalha, que parecem uma eternidade, a barata morre. Morreu de estresse. Sofreu um enfarte fulminante. Não suportou a perseguição do herói do filme da sala de casa.

Ao ver a barata inerte, a temperatura da emoção de Dona Susan diminui imediatamente. Relaxa, abre as janelas de sua mente e volta a pensar. Seu estado de ânimo muda, e ela desce do sofá, olhando o marido como se fosse o mais forte dos homens, achando-o lindo, encantador, irresistível. O casamento que há anos estava abalado e saturado de atritos ganha fôlego por causa da morte de uma barata. Dona Susan esquece subitamente as inúmeras vezes em que foi agredida pelo Sr. Robin. Esquece que ele é um especialista em reclamar das pessoas, da sua empresa, do governo e da crise financeira.

Inicialmente o Sr. Robin não entende o que está acontecendo. Depois, meio sem jeito e um tanto inibido, estufa o peito e ergue os ombros. Esquece os contínuos problemas com a mulher. Esquece que ela estourava o orçamento, que raramente se fazia bonita para esperá-lo, que preferia a revista à sua companhia, que não tinha paciência para ouvir as suas histórias. O Sr. Robin e Dona Susan não resolviam seus problemas, empurravam a vida.

Mas agora o cenário mudou. Ao se aproximar dele, Dona Susan lhe diz: "Meu herói! Você é maravilhoso!" O Sr. Robin fica com a autoestima nas nuvens. Então, inspirado, ele proclama altissonante: "Eu amo você, Susan! Pode contar comigo, eu sempre a protegerei." E, como no mais romântico filme de Hollywood, eles se beijam como não faziam há anos.

E, assim, eles foram felizes para "sempre"...
E seus filhos foram para o psiquiatra...

Capítulo 3

A chave para entender o funcionamento da mente

Esqueceram-se de mim

O Sr. Robin e Dona Susan deram um *show* de ansiedade no pequeno labirinto da sala de sua casa. Mas, infelizmente, eles esqueceram das pessoas mais importantes do mundo: os seus próprios filhos. As crianças gravaram todo o espetáculo. Veremos que a memória das crianças absorve as cenas do ambiente com uma habilidade muito maior do que imaginamos.

Se considerarmos a personalidade como um longo e complexo filme, as principais fotografias desse filme foram produzidas não por aquilo que nossos pais nos disseram diretamente, mas pelo que captamos dos seus gestos e reações. Mesmo os que tiveram uma infância feliz possuem cenas dramáticas no subsolo do seu inconsciente. Por quê? Porque as cenas de violência da TV, as perdas, as notícias de assassinatos, de doenças e de acidentes invadiram a memória deles e se alojaram em suas histórias.

Quantas cenas de medo, ansiedade e agressividade você e eu gravamos nos solos conscientes e inconscientes de nossa personalidade? Provavelmente muitas. Ainda que não percebamos, até hoje elas influenciam nosso jeito de pensar e reagir.

Os adultos se esquecem frequentemente das crianças quando estão em crise. Muitos transtornos poderiam ser evitados se aprendêssemos a olhar a plateia que está a nossa volta. Quantas vezes "vomitamos" do cerne de nossa alma nossas misérias e contaminamos justamente as pessoas mais amadas e inocentes do mundo.

Ao longo de minha vida analisei a história de muitas pessoas que foram feridas gravemente pelos pais e demais adultos que as rodeavam. Eles foram frequentemente culpados sem terem culpa, pois reproduziram diante das crianças os conflitos que também viveram na sua infância. Muitos adultos possuem uma criança ferida dentro de si. Por isso precisamos conhecer a psicologia do perdão. Considero impossível convivermos socialmente sem nos frustrarmos com as pessoas. Às vezes, as pessoas que mais amamos são as que mais nos machucam.

Se você não aprender a perdoar os outros, obstruirá a sua inteligência. E se não aprender a perdoar a si mesmo, será aprisionado com uma das mais angustiantes algemas: a do sentimento de culpa.

As maiores vítimas da história da barata foram as crianças: Hem, Haw, Sniff e Scurry. O casamento do Sr. Robin e de Dona Susan foi superficialmente "reconciliado" por uma pequena barata. Todavia, a possibilidade de terem causado danos à personalidade dessas crianças foi grande.

O que as crianças registraram: a barata física ou a psicológica? A barata psicológica. Nunca se esqueça de que a memória humana não registra o objeto real, mas o objeto interpretado. Registramos não a realidade objetiva dos problemas, mas nossa interpretação. Ela inclui toda a carga emocional, todos os pensamentos negativos e todas as cenas do ambiente. A barata é apenas um inseto anti-higiênico, mas a "barata psicológica" pode se tornar um verdadeiro monstro. Em nossa história, ela foi ampliada pelo pavor da mãe e pelo desespero do pai.

O Sr. Robin é um trator emocional que passa por cima de tudo e de todos para resolver seus problemas. Causa mais transtorno do que soluções. Sabe trabalhar bem atrás de uma escrivaninha, mas não sabe trabalhar em equipe. Concentra poder, não divide preocupações, não estimula os outros a refletirem, humilha e não elogia seus colegas de trabalho. O mundo tem de girar em torno daquilo que ele considera prioritário.

O Sr. Robin "matou" a barata, mas ela continuou viva nos porões da alma de Dona Susan. Ele possui uma excelente inteligência lógica. Sabe lidar com números, mas não sabe trabalhar com a emoção das pessoas. Sua inteligência multifocal é muito deficiente, por isso tem baixa capacidade para expor as ideias, para gerenciar seus pensamentos, para trabalhar sua ansiedade e lidar com desafios.

Um espelho para a alma

Usarei a história da barata para explicar algumas áreas importantes do funcionamento da mente desses garotos. Desvendaremos o que aconteceu no território da emoção e da memória deles diante da crise dos seus pais. Também examinaremos alguns outros estímulos estressantes que eles viverão ao longo de suas vidas e acompanharemos algumas áreas do desenvolvimento de suas personalidades até que eles cheguem à fase adulta. Talvez você se surpreenda ao longo dos textos. Alguns provavelmente servirão de espelho para você enxergar a sua própria alma.

Essas quatro crianças viverão em diversos labirintos: a escola, a família, a casa dos amigos, as quadras de esportes, as festas da turma. Na fase adulta, também viverão em diversos outros labirintos: a universidade, a empresa, clubes de lazer, reuniões sociais, concursos.

Seguirão trajetórias diferentes. Algumas terão sucesso, outras fracassarão. Algumas serão derrotadas pelas perdas e frustrações, outras verão nelas uma oportunidade de começar tudo de novo. Algumas serão paralisadas pelo medo, outras correrão riscos para transformar seus sonhos em realidade. A maneira como trabalharem os mais diversos tipos de "baratas" que encontrarem nos labirintos da vida afetará o desempenho intelectual, a criatividade e a capacidade de sentir prazer.

A "barata" pode simbolizar os problemas, as dificuldades e as situações novas que enfrentamos: um novo emprego, uma nova tecnologia, uma crise conjugal, uma crise financeira, uma rejeição, um desafio profissional, uma perda, uma dificuldade de relacionamento com os filhos. Não importa o tamanho real do problema, mas como eu o interpreto, o sinto, o supero. Pequenos problemas mal administrados podem travar nossa inteligência, destruir os melhores anos de nossas vidas e esgotar nossos mais belos estoques de Queijo.

Não permita que as pequenas baratas nos labirintos de sua existência se tornem monstros dentro de você. Como analisaremos, o primeiro caminho para resolver um problema com realismo é proteger a emoção e gerenciar os pensamentos. Espero que esses termos passem a fazer parte do dicionário de sua vida.

A tranquilidade é um colírio para os olhos da inteligência

O medo rouba duas pérolas da inteligência: a racionalidade e a tranquilidade. Quantas vezes reagimos sem controle diante de pequenos problemas? Não pense que só as pessoas frágeis são controladas pelo medo e pela ansiedade. Todos nós temos algum tipo de medo, todos em algum momento somos vítimas da ansiedade. Algumas dificuldades são banais para uns e gigantescas para outros.

Dona Susan só entrou em crise diante de uma pequena barata porque dentro dela já existia uma barata colossal. É sempre assim. Os problemas de fora precisam encontrar um eco em nossa memória para nos perturbar. Se encontrarem esse eco, causarão um impacto no território de nossas emoções. Vejamos alguns exemplos.

Para alguns executivos, ser questionados por seus subalternos é um problema gravíssimo que eles não sabem contornar. Não sabem ser contrariados. São péssimos administradores de suas emoções. Para outros, a competitividade e a baixa lucratividade causam tanto pânico que lhes esmagam a criatividade. Ainda para outros, mudar os paradigmas para prevenir futuros problemas os assombra, pois afinal de contas, pensam eles, em time que está ganhando não se mexe.

Para alguns pais, ter seus erros apontados pelos filhos é inadmissível. Eles não sabem reconhecer suas falhas, nem pedir desculpas por elas. São intocáveis em sua autoridade. Não compreendem que sábio não é quem não erra, mas quem aprende as mais nobres lições diante dos seus erros.

Para alguns jovens, principalmente os adolescentes, pensar diferente do grupo é ser excluído dele. Sentir-se excluído produz neles um profundo estado de rejeição. Eles não são líderes nem possuem metas sólidas de vida. Por serem frágeis, não sabem lidar com "nãos" nem com limites. Por serem inseguros, se tornam presas fáceis do uso de drogas quando convidados ou pressionados a usá-las por seus amigos.

Todas essas reações indicam que frequentemente estamos despreparados para resolver as turbulências de nossas vidas. A tranquilidade é um colírio para os olhos de um líder. Um líder intranquilo tropeça e recua. Um líder tranquilo tropeça, levanta--se e continua a sua jornada. Se nos contaminamos facilmente com os problemas externos, então estamos pouco preparados para enxergar nossos problemas internos e solucioná-los.

Cuidado! É melhor solucionar de dentro para fora os nossos problemas e pouco a pouco a cada dia do que ser um herói por um dia. Não seja um gigante, mas um aprendiz.

A chave para desvendar o funcionamento da mente humana

Para desvendar alguns fenômenos dos bastidores da mente humana usarei a teoria da Inteligência Multifocal.[2] Não se assuste,

---

[2] CURY, Augusto J. *Inteligência Multifocal*. Editora Cultrix, São Paulo, 1998.

o nome é complicado, mas eu vou explicar. Ela é uma das poucas teorias da atualidade que trata da construção da inteligência e do funcionamento da mente. Eu a venho desenvolvendo por mais de vinte anos.

A teoria da inteligência multifocal tem sido adotada em diversas faculdades, usada em cursos de pós-graduação e em teses de mestrado e doutorado. Ela estuda assuntos clássicos investigados pela psicanálise, produzida por Sigmund Freud, e pela psicologia comportamental. Mas, além disso, estuda diversos outros fenômenos pouco investigados, como os papéis da memória, os fenômenos que constroem as cadeias de pensamentos e a transformação da energia psíquica.

Essa teoria se chama *multifocal* porque investiga múltiplas áreas da inteligência humana e das relações do ser humano consigo mesmo e com o mundo. Por exemplo, você sabia que os registros na memória são automáticos e que é impossível deletá-los ou apagá-los? Todo lixo depositado em nossa memória – mágoas, rejeições, perdas, medos – só pode ser *reeditado*, e nunca apagado. Como fazer essa reedição? Essa é uma grande questão que vamos ver.

A *inteligência multifocal* pesquisa algumas áreas da emoção que o autor de *Inteligência Emocional*, Daniel Goleman, provavelmente não investigou. Entre elas se incluem: a influência da emoção no registro da memória, os focos de ansiedade obstruindo a construção dos pensamentos, a formação das zonas de conflitos e do cárcere da emoção.

Ao investigar essas áreas, compreenderemos, por exemplo, por que pessoas inteligentes podem ter atitudes estúpidas quando estão tensas. E também por que o medo aprisiona o "eu", impedindo-o de correr riscos nos labirintos da vida para encontrar um oásis em nosso deserto. Por isso, quem não aprender a navegar nas tumultuadas águas da emoção não conseguirá brilhar na sua inteligência.

A *Inteligência Multifocal* também investiga áreas da inteligência intrapessoal, interpessoal e lógica, contida na Teoria das Inteligências Múltiplas, produzida por Howard Gardner. Grandes empresários e líderes políticos foram gigantes na inteligência lógica, mas verdadeiras crianças na inteligência multifocal. Por isso não aprenderam a se colocar no lugar dos outros, nem a gerenciar seus pensamentos diante dos focos de tensão. Foram fortes por fora, mas frágeis por dentro.

A teoria que usarei não compete com outras teorias existentes na ciência. Pelo contrário, as complementa e fundamenta, pois elas foram produzidas usando o pensamento pronto, enquanto a inteligência multifocal estuda *como* se constrói o pensamento. Recentemente recebi a notícia de que um dos líderes de um conceituado instituto em Portugal, um doutor em psicologia, a tem usado em seminários para mais de seis mil educadores.

Fomos também informados que ela tem sido usada para fundamentar até teses de doutorado em sociologia. Mas não quero que o leitor se assuste. Não escrevi esse livro para cientistas, embora ele possa ajudar alguns cientistas em suas pesquisas. Escrevi para todas pessoas que amam o espetáculo da vida.

Um convite

Gostaria de convidá-los a fazer um mergulho na psicologia e penetrar em algumas áreas belíssimas e excitantes do labirinto da mente humana. Não se sintam incapazes. Vocês podem e devem compreender algumas vielas do sinuoso planeta psíquico. Não fujam da possibilidade de explorar esse fascinante planeta.

Procurarei abordar esses assuntos da maneira mais didática, para facilitar sua compreensão. Analisaremos algumas importantes e inquietantes questões que atingem a todos nós. Por exemplo: como as emoções tensas controlam a inteligência e nos impedem de tomar atitudes? Como é produzida a insegurança e a baixa autoestima? Por que certas pessoas intelectualmente brilhantes perdem excelentes oportunidades na vida? Por que temos tendência de sermos os maiores carrascos de nós mesmos? Como devemos gerenciar nossos pensamentos e quais as dificuldades básicas que encontramos? Quais são as ferramentas que podemos usar para reeditar o filme do inconsciente e nos tornarmos pessoas livres e felizes? Por que o ser humano pode ser líder do mundo em que *está*, mas não é capaz de tornar-se um grande líder do mundo que *é*?

Faremos uma viagem interessante para explicar como Hem, Haw, Sniff e Scurry atingiram a personalidade adulta. Compreenderemos por que Hem e Haw desenvolveram medo, ansiedade e insegurança. Descobriremos por que eles tiveram dificuldade de lidar com situações novas, superar fracassos e se adaptar às mudanças, enquanto Sniff e Scurry se tornaram seguros, ativos, rápidos para reconhecer problemas e ágeis para tomar atitudes.

Ao fazer essa viagem entenderemos a frase: *os perdedores veem os raios, mas os vencedores veem a chuva e com ela a oportunidade de cultivar.*

Além disso, entenderemos também por que Hem continuou sufocado por seus problemas ao longo da vida, e Haw, pouco a pouco, adquiriu habilidade para superá-los. Dois irmãos, duas histórias, dois mundos diferentes cultivados nos solos de suas memórias.

Não podemos nos esquecer de que a última fronteira da ciência é saber quem somos. É desvendar a natureza da energia psíquica e os segredos de nossa inteligência. Embora não tenha muitas respostas para diversas questões, eu gostaria de compartilhar com vocês as respostas que encontrei e que mudaram minha compreensão do ser humano. Creio que a ciência dará grande ênfase nas próximas décadas aos assuntos de que tratarei nos próximos capítulos.

Na abertura de cada um dos próximos capítulos contarei uma história. Elas são baseadas em fatos reais. Alguns dados pessoais foram alterados para preservar a identidade das pessoas.

Capítulo 4

Não existe equilíbrio psíquico: a misteriosa energia psíquica

O homem-gangorra

J. C. era um homem de 40 anos, empresário, com boa formação acadêmica. Filho de alemães, seus avós viveram o drama da Primeira Guerra Mundial. Desde adolescente, não suportava ser contrariado. Era um rei sem trono. Sua qualidade de vida era péssima, pois nunca se satisfazia com o que possuía. Falava em matar qualquer pessoa que atravessasse seu caminho.

Na lua de mel, ao ter um atrito com sua esposa, não hesitou: puxou um revólver e mostrou que "quem mandava naquele casamento era ele". Ganhou a disputa, mas perdeu para sempre o amor de sua amada. As vitórias atingidas pelo poder não conquistam o coração.

Sua emoção flutuava como uma gangorra. Num instante estava calmo como uma lagoa plácida, no outro, irritado como um tufão. Ninguém se sentia confortável diante dele. Suas reações eram imprevisíveis e explosivas.

J. C. achava que era senhor do mundo, mas não era dono de si mesmo. Não passava de um menino num corpo de adulto. Vivia sob o sentimento paranoico de que as pessoas falavam e maquinavam coisas contra ele. Não tinha tranquilidade nos relacionamentos externos, porque nunca a conquistara dentro de si.

Passado certo tempo, ficou isolado. Sua esposa queria abandoná-lo e seus filhos não desejavam mais vê-lo. Nem seus empregados o suportavam mais. O rei desmoronou. A solidão e os pensamentos negativos o abateram. Conheceu o caos da depressão e viveu o último estágio da dor humana. Foi a dor que o salvou. Bendita dor. Nunca alguém o tinha visto chorando, mas agora ele aprendeu a "santa" linguagem das lágrimas. Você conhece essa linguagem? J.C. procurou ajuda e começou a caminhar pelo labirinto de sua alma. Andou por lugares nunca antes pisados. Caminhou pelas vielas do seu próprio ser e descobriu que nunca tinha sido forte. Quando começou a entender que a grandeza de um homem está em compreender e aceitar os limites de sua real dimensão, encontrou o horizonte.

Sua emoção começou a brilhar. Passou a conquistar as pessoas, não pelo poder, mas pelo amor e o diálogo. O "rei" perdeu seu trono, mas ganhou o coração dos que o rodeavam. Tornou-se um admirável ser humano. Ficou pequeno por fora, mas grande por dentro.

A emoção flutuante

A história de J. C. expressa uma grave flutuação da energia emocional. Ele era instável e desequilibrado. Sua emoção e capacidade de pensar estavam doentes, eram excessivamente instáveis.

Não existe estabilidade plena da energia psíquica, pois ela se organiza, desorganiza-se (caos) e reorganiza-se continuamente. Não existem pessoas calmas, alegres e serenas sempre, nem pessoas ansiosas, irritadas e incoerentes em todos os momentos. A pessoa mais tranquila tem seus momentos de ansiedade, e a mais alegre tem seus períodos de angústia. Mas o caso de J. C. era extremo.

Não se perturbe se você é uma pessoa oscilante, pois não é possível nem desejável ser rigidamente estável. O que você não deve permitir é sentir oscilações grandes, nem bruscas, como as produzidas pela impulsividade, mudança súbita de humor, medo. Quem é explosivo se torna insuportável, mas quem é excessivamente previsível se torna um chato.

O campo da energia psíquica vive num estado contínuo de desequilíbrio e transformação. O momento mais feliz de nossa vida desaparece e o mais triste se dissipa. Por quê? Porque a energia psíquica do prazer ou da dor passa inevitavelmente pelo caos e se reorganiza em novas emoções. Somos um caldeirão de ideias e uma usina de emoções. Simplesmente não é possível interromper a produção de pensamentos nem de sentimentos.

Não tente segurar sua tranquilidade, pois mais cedo ou mais tarde ela irá embora e a ansiedade baterá nas portas de sua emoção. Em vez disso, treine cultivá-la. Para cultivá-la, aprenda a educar sua emoção. Para educá-la, proteja-a contra os estímulos estressantes, contemple o belo nas pequenas coisas da vida e não fique girando em torno dos problemas.

Os problemas nunca vão desaparecer, mesmo na mais bela existência. Problemas existem para serem resolvidos, e não para nos perturbar. Por isso, quando a ansiedade ou a angústia invadir sua alma, em vez de se desesperar, extraia lições de sua aflição. Esta é a melhor maneira de dar um sentido à dor. Caso contrário, sofrer é inútil. E, infelizmente, a maioria das pessoas sofre inutilmente. Elas expandem sua miséria e perdem a oportunidade de enriquecer a sua sabedoria.

Hem, Haw, Sniff e Scurry sofreram oscilações bruscas na sua emoção

A crise fóbica da mãe e o escândalo do pai de Hem e Haw produziram uma flutuação brusca no território da emoção de seus filhos e de seus dois sobrinhos. As crianças estavam brincando ingenuamente na sala da casa. Os gritos dramáticos de Dona Susan desencadearam uma reação de pavor dentro deles.

Essa reação de pavor foi vivenciada de um jeito distinto por cada um. Como Hem e Haw já tinham participado de muitas crises dos pais, sentiram arrepios imediatos assim que o timbre da voz deles aumentou.

Sniff e Scurry cresceram num ambiente tranquilo. Seus pais eram mais serenos, tolerantes e procuravam resolver suas diferenças com o diálogo. Por isso, o impacto dos gritos que ouviram não produziu um eco tão grande dentro deles.

Imaginem o cenário. Diante das crises de Dona Susan e do desespero do Sr. Robin, qual das duas baratas os garotos registraram: a real ou a psicológica? Como vemos, é a barata psicológica gerada pela interpretação deles no palco de suas mentes. Por favor, o que fica registrado na memória humana não é a realidade exterior, mas a realidade interpretada. Por isso, uma barata pode se tornar um monstro, um vexame em público é capaz de inibir uma pessoa de conviver socialmente, um ataque de pânico abate a segurança de um executivo.

O que os seus filhos registram do seu comportamento não são seus comportamentos em si, mas a forma como eles interpretam esses comportamentos. Por isso, um olhar atravessado ou uma palavra mal colocada, que para outros não teria tanto peso, pode trazer sérios prejuízos à formação da personalidade deles.

Às vezes, sem perceber, um pai diz a um filho: "Hoje eu não tenho tempo para conversar", "Você é um incompetente", "Quem manda aqui sou eu". Esse pai não tem consciência de que, dependendo da interpretação, o filho poderá vivenciar um sentimento de inferioridade ou rejeição que, uma vez registrado, influenciará para sempre a sua personalidade.

Conheço a história de pais que disseram a seus filhos que não tinham tempo para conversar com eles num momento crucial de suas vidas, e os filhos nunca mais se abriram com os pais. Choraram pelos cantos, mas não nos ombros de seus pais. Sufocaram suas dores, mas não as compartilharam com eles. Viveram na mesma casa, mas não dividiram a mesma história. *Como está o diálogo em sua casa? Será que seus filhos são seus amigos?* Os amigos são desarmados, abrem seu coração e falam dos seus conflitos sem receio. *Será que você e seu filho não precisam aprender a penetrar no mundo um do outro?*

Os filhos também são capazes de provocar profundas feridas nos pais. Há filhos que exercem uma verdadeira ditadura em sua família, fazendo pouco dos pais, descontando neles sua insatisfação. Querem muito, mas devolvem tão pouco! A paranoia do consumismo os torna especialistas em reclamar. Às vezes, pensam que seus pais existem para satisfazê-los. Não conseguem valorizar a dedicação e o esforço investidos para educá-los.

E em nossas atividades profissionais, como as pessoas interpretam nossos comportamentos? Pergunte aos seus colegas de trabalho o que eles pensam a seu respeito. Você estimula a inteligência deles ou a bloqueia? Quantos gestos pequenos ou de chacota os machucaram e inibiram?

Explorando o labirinto da alma e descobrindo os obstáculos interiores

A família de Hem e Haw deveria ser, como toda família, uma grande equipe. Mas não era. Dona Susan deveria gerenciar seus pensamentos e não ser escrava do seu medo, mas não era isso que acontecia.

Como não explorava o labirinto da sua alma, ela nunca descobriu que o monstro estava dentro e não fora dela. Uma pequena barata desencadeou nela um pânico incontrolável que assaltou a emoção de seus filhos. Dona Susan não respeitou sua própria inteligência, nem a deles.

Sniff e Scurry, assim como Hem e Haw, também levaram um grande susto. Mas, por serem mais tranquilos, logo se recompuseram. A situação tensa se transformou para eles num circo divertido. Eles davam risadas dos gritos da tia e dos erros de pontaria do tio. Até ajudaram a atirar objetos na barata. Por isso não ficaram traumatizados.

Se você não aprender a dar risadas dos comportamentos estranhos das pessoas, você se deixará contaminar por eles. Mas dê risadas interiormente, para não aumentar a ansiedade delas.

Os pais de Hem e Haw os amavam e procuravam cuidar bem deles, mas erravam em muitos aspectos. Viviam comparando-os com outras crianças, eram agressivos e intransigentes com certas travessuras dos filhos, criticavam excessivamente seus erros e não os estimulavam a aprender com seus fracassos e começar tudo de novo.

Além disso, davam-lhes atividades em excesso. Os meninos estavam matriculados em cursos de natação, línguas, música, computação, judô. Não tinham tempo para correr, andar na terra de pés descalços, inventar brincadeiras. A pior coisa para uma criança é não ter tempo para ser criança. Não bloqueie a infância das crianças com excesso de atividades.

Os pais de Hem e Haw investiam para que eles desenvolvessem uma excelente inteligência lógica e conquistassem espaço no mundo competitivo. Não tinham a menor ideia de que, se eles não desenvolvessem a inteligência emocional e multifocal, não conseguiriam enfrentar as pressões e desafios que, inevitavelmente, encontrariam em seu caminho.

Hem e Haw cresceram. Frequentaram a faculdade, fizeram cursos de pós-graduação, mas não transformaram as informações em conhecimento, e, consequentemente, não incorporaram as experiências vividas. Tornaram-se pessoas cultas, mas hesitantes, inseguras, sem intuição e habilidade para corrigir suas rotas. Não aprenderam a ser autores de sua própria história. Vale a pena parar e pensar: *será que não estamos também nessa situação?*

Um dia o estoque de Queijo acabará

Um dia o estoque de Queijo se esgotará em cada labirinto em que estivermos, e nossos sonhos, entusiasmo, relações afetivas, competência profissional entrarão em crise. No caso de nossos personagens, o que farão eles? É fácil viver na bonança, mas é difícil gerenciar as crises.

Hem era um dos primeiros da turma na escola. Mas tinha medo de errar, e, quando errava, se culpava muito. Não sabia viver fora da sua rotina e qualquer alteração em sua agenda lhe causava grande perturbação. Isso é grave, típico de uma pessoa engessada. Ele tinha potencial para causar uma revolução nos labirintos em que se encontrava, mas sua inteligência estava travada, e ele preferia se esconder.

Os que têm uma personalidade semelhante à de Hem não admitem a própria fragilidade, raramente assumem que seu casamento está falido, seu emprego está abalado e que se encontra socialmente isolado. São pessoas negativistas, que colocam a culpa dos seus fracassos nos outros e nas situações externas. É preciso ter coragem para olhar dentro de si.

Essas pessoas ficam plantadas em sua zona de conforto e não conseguem reciclar sua maneira de pensar. Só quando veem o mundo desabando sobre elas é que sentem necessidade de mudança. São carrascos de si mesmas.

Haw, tal como Hem, também viveu inúmeras experiências que cultivaram sua insegurança. Ele registrou milhares de outras "baratas psicológicas" ao longo da vida. Às vezes, uma pequena crítica o abalava. Ninguém podia discordar dele. Era avesso a aventuras, a novas conquistas, a repensar sua vida.

Ele poderia sofrer o mesmo destino de Hem, mas, pouco a pouco, começou, ele mesmo, a modificar sua história. Resolveu enfrentar o medo e correr riscos nos seus labirintos. Começou a dar risadas de suas próprias tolices. Colocou seu medo no centro de um picadeiro e olhou-o de frente. *Dê risadas dos atropelos pelos quais você passa.*

Haw descobriu aos poucos que os maiores obstáculos que o impediam de ser livre, feliz e realizado habitavam não fora mas dentro dele mesmo. Essa descoberta fez uma grande diferença. Você precisa localizar os nós que aprisionam a sua emoção e amarram sua liberdade de pensar. Não tenha medo de olhar dentro de si e reconhecer que você não é o super-homem ou a supermulher, mas um ser humano normal que tem momentos vacilantes e reações incoerentes.

Você sabe qual é uma das grandes diferenças entre um perdedor e um vencedor? O perdedor erra e volta atrás, o vencedor erra e começa tudo de novo. Não há heróis na escola da vida, somos todos eternos aprendizes.

Capítulo 5

O registro automático da memória: o fenômeno RAM

Uma criança perseguida pela ideia da morte

Era uma noite escura e solitária. Marcos, um menino de sete anos, estava ofegante e trêmulo. Um médico foi chamado às pressas. Depois de examinar o menino, o médico preocupou-se com o estado de saúde dele. Olhou para os pais e meneou a cabeça, expressando que a criança não estava bem. O médico, ingênuo, não percebeu que o pequeno Marcos o estava observando. Nunca imaginou que seu simples gesto mudaria para sempre o destino desse menino.

A memória das crianças é como uma excelente esponja que absorve os mínimos detalhes dos adultos. As crianças formam os principais capítulos de suas vidas, mais pelo que expressamos inconscientemente diante delas do que pelo que falamos diretamente com elas.

Marcos interpretou a reação do médico como se fosse um atestado de que iria morrer. Ninguém percebeu, nem os próprios pais, mas esse pequeno ser humano sofreu intensamente. Uma angústia inexprimível abateu-se sobre ele. O garoto já tinha ouvido falar da morte, mas ela parecia habitar uma terra infinitamente distante dele. Agora, porém, com o gesto desse médico, a preocupação com o fim da vida começou a invadir o território da sua emoção.

Marcos começou a imaginar que tinha uma grave doença no coração. Pensava que a qualquer momento morreria. Não veria mais seus pais nem seus amigos. O mundo, assim, desabou sobre ele. Deixou de brincar, correr e se envolver com os colegas. Tinha momentos de alegria, mas eram fugazes. A ansiedade abalou sua inocência e roubou o brilho da infância.

Marcos desenvolveu uma personalidade tensa. Dificilmente relaxava. Compensou sua emoção insegura e ansiosa com o trabalho. Trabalhava muito para ocupar sua mente e não cultivar ideias negativas. Era muito eficiente, embora não tivesse expectativa de que fosse viver muito tempo. Devido à sobrecarga de trabalho e à sua habilidade intelectual, tornou-se um empresário bem-sucedido, mas em sua mente vivia miseravelmente. O pão físico sobrava em sua mesa, mas o pão da tranquilidade era escasso na alma. Não conseguia desfrutar seu sucesso. Por quê? Porque tinha a ideia fixa de que estava às portas da morte.

Não parece absurdo que uma pessoa inteligente como Marcos sofresse por causa de tal ideia? Sim. O seu "eu" desconfiava que sua saúde não era tão ruim, porque tinha vivido décadas sem graves problemas, mas a emoção é a pior compradora do mundo. Ela vivia a ideia da morte como se fosse real. Quando a emoção compra as ideias negativas, não distingue a realidade da fantasia.

Marcos era lúcido, lógico e socialmente admirado. Teve chance de possuir uma grande cadeia de lojas. Mas o medo o encarcerou. Não aproveitava as oportunidades que lhe apareciam. Seus sonhos eram frágeis, porque ele não acreditava no futuro.

Uma gripe o colocava em pânico, uma taquicardia era interpretada como um enfarte. Como não controlava seus comportamentos na frente dos filhos, alguns deles filmaram inconscientemente suas reações e também se tornaram hipocondríacos.

Todavia, apesar de viver uma vida ansiosa e transmitir ansiedade aos seus íntimos, ele era extremamente amoroso. Por isso, no meio do turbilhão emocional, Marcos semeou pedras preciosas na história de suas crianças. Embora fossem demasiadamente preocupadas com doenças, elas aprenderam com seu pai o caminho da afetividade e do amor pela vida.

Ao longo dos anos, observei e analisei muitas pessoas, entre elas juízes, promotores, médicos, empresários, educadores, jovens, que sofreram dramaticamente por terem ideias fixas de que tinham câncer, Aids ou sofreriam um enfarte, um derrame, um acidente. Estavam algemadas secretamente no âmago do seu ser. Cuidado com as algemas escondidas dentro de você!

Marcos sofreu muito. Sofreu calado. Viveu só no meio da multidão. Acreditava, como muitas pessoas, que ninguém pudesse entendê-lo e ajudá-lo. Mas um dia, depois de quarenta e dois anos, resolveu rasgar a sua alma e falar dos conflitos que o aprisionavam.

Procurou ajuda e descobriu algo fantástico. Descobriu que poderia deixar de ser passivo e dominado por ideias negativas. Que podia passar a gerenciar seus pensamentos. Compreendeu que poderia dominar a ansiedade que por décadas roubava-lhe a paz. Ao fazer essa descoberta, falava com a alegria de uma criança que encontrou a liberdade. Pouco a pouco aprendeu a não ser escravo de suas ideias obsessivas. Ficou livre no único lugar em que jamais deveria ter sido prisioneiro.

O fenômeno RAM e o grande edifício da vida

Por meio da história do Marcos, que desde a infância foi atormentado pela ideia da morte, quero comentar o primeiro grande papel da memória, que é vital para o funcionamento da mente. O registro da memória é automático, não depende da vontade humana. *Todos os pensamentos e emoções são automática e involuntariamente registrados pelo fenômeno RAM* (registro automático da memória).

Se a vida for comparada a um grande edifício, e cada ano corresponder a um andar desse edifício, todos nós emperramos nosso elevador em alguns andares. Todos tivemos experiências traumáticas registradas pelo fenômeno RAM em alguma época de nossas vidas. Uns na vida fetal ou quando bebês, outros na primeira infância e adolescência, outros ainda na vida adulta e idosa, muitos nas várias fases.

Freud teve uma crise depressiva aos sessenta e sete anos. O câncer bucal que possuía e uma grave doença pulmonar que acometia um dos seus netos produziram registros angustiantes em sua memória. Tais registros eram lidos continuamente e geravam inúmeras cadeias de pensamentos negativos que feriam o território da emoção do ilustre pensador. Esse mecanismo inconsciente levou o pai da psicanálise à depressão. Freud conheceu o caos emocional porque era, como todos nós, apenas um ser humano.

Machado de Assis viveu uma profunda solidão após a morte de sua esposa. Van Gogh era inteligentíssimo, mas não tinha proteção emocional, e por isso sentia-se um estranho numa sociedade hostil. Enfim, os grandes homens também choraram. Os grandes homens também emperraram o livre trânsito do elevador da existência.

Não deixe de penetrar no grande edifício da vida e visitar os momentos mais difíceis de sua história. Talvez, para desobstruir esse elevador, você tenha de perdoar pessoas que lhe causaram sofrimento, ou se perdoar. Talvez tenha que aceitar perdas que nunca aceitou e compreender situações das quais sempre se esquivou. Ninguém pode descer nesse elevador por você, nem mesmo um psiquiatra ou psicólogo. No máximo, eles darão a orientação necessária para *você* fazer essa descida interior.

Nos computadores, como o registro é voluntário e depende de um comando, só registramos o que queremos. Na memória humana, o registro não depende da nossa vontade. O fenômeno RAM atua inconscientemente em frações de segundos, arquivando todas as nossas experiências, até as que mais detestamos. Não

adianta tentar evitar o registro de uma ofensa, perda, rejeição, pois o registro é automático.
Você não tem liberdade de querer ou não ter uma história arquivada em sua memória. Por quê? Porque sem essa história você não produziria pensamentos, seria irracional e, portanto, não teria consciência da própria liberdade.

Hem e Haw filmaram seus pais

Hem e Haw registraram a crise de sua mãe e a ansiedade de seu pai, não porque quisessem registrá-las, mas porque o registro foi automático. Nem seus pais nem a escola que frequentavam lhes ensinaram a evitar a invasão do lixo de fora. Eles nunca aprenderam a filtrar os estímulos estressantes.

O registro não poderia ser evitado, pois é automático, mas a interpretação do fato poderia ser filtrada e gerar um registro brando e inteligente, como ocorreu com a interpretação de Sniff e Scurry. Desse modo, a barata não teria sido arquivada como um monstro em Hem e Haw. Mas, infelizmente, o elevador do grande edifício da vida desses dois jovens emperrou e foi bloqueado naquele momento. Ao longo de suas vidas, outros bloqueios se sucederam.

Para Sniff e Scurry a barata foi registrada como um simples inseto. Para Hem e Haw, como um animal horripilante. Por isso, eles nunca mais reagirão diante da barata de modo ingênuo. Toda vez que estiverem diante de uma barata física, os arquivos em que está localizada a barata psicológica serão acionados. Nesse caso, o medo será reproduzido e novamente registrado.

Toda vez que você está diante de uma pessoa, um problema ou uma situação semelhantes aos que causaram grande perturbação no passado, haverá grande chance de os arquivos que contêm tal registro se abrirem e você perder sua espontaneidade e segurança.

Executivos brilhantes não conseguem falar em público devido ao registro de traumas do passado. Jovens competentes não conseguem se livrar de sua timidez, pelos bloqueios de sua história. Qual o caminho para evitarmos tal situação? É o que chamo de *reedição do filme do inconsciente*. Vou ensinar-lhes a fazer isso para se protegerem.

Hem e Haw terão diversos transtornos em sua vida afetiva e profissional, porque registraram milhares de experiências doentias. Tinham receio de frustrar-se. Não viam a vida como aventura. Estavam preocupados apenas com o bem-estar momentâneo. Tornou-se mais confortável para eles pensar que o estoque de Queijo que encontraram era eterno. Por isso, ficou sempre mais difícil para eles perceberem que o mundo estava mudando, que seus familiares mais próximos precisavam de maior dedicação amorosa, que sua empresa enfrentava novos desafios e exigia novos comportamentos.

Os registros de sua memória os impediam de enxergar que era melhor se aventurar no labirinto do que morrer no que consideravam uma zona de conforto. No labirinto, teriam a oportunidade de fazer coisas que nunca fizeram.

Não se engane! As sementes que você arquiva no solo da memória gerarão o tipo de personalidade que você colherá. Não espere ter segurança, se você registra continuamente o medo do amanhã, o medo do novo, o medo de amar, o medo de se doar, o medo de ter sua imagem social abalada, o medo da crítica das pessoas, o medo dos seus superiores, o medo de expressar suas ideias, o medo de errar, o medo de recomeçar, o medo do medo.

Não espere ter autoestima se você não liberta sua criatividade, se você se acha incompetente, se é implacável com seus erros, se não gosta do seu próprio corpo e não sente paixão pela vida. Não espere ser empreendedor se você evita desafios, se a possibilidade de fracassar lhe causa depressão, se fica em pânico de passar por ridículo e ser objeto de chacota dos outros.

Recentemente, um jovem advogado que há cerca de quatro anos presta concurso para promotor de justiça, sem sucesso, me procurou. Disse-me que está desanimado e que alguns colegas zombam dele porque estuda e não passa. Falei-lhe que ele devia perseverar se quisesse construir a própria história. Comentei que boa parte dos jovens atualmente está vivendo à custa dos pais, porque não tem sonhos nem metas. Aqueles que semeiam com garra, e até com lágrimas, colherão com júbilo.

Você é aquilo que interpreta, sente, pensa e registra. Não há ricos, pobres, intelectuais e iletrados no cerne do funcionamento da mente humana. Todos somos iguais e devemos tomar os mesmos cuidados se quisermos ser felizes. Tome consciência de como você interpreta e registra os eventos do dia a dia, e você estará investindo em qualidade de vida. Caso contrário, ainda que você conste da revista *Forbes* como um dos homens mais ricos do mundo, correrá o risco de estar listado nas páginas da emoção como um dos seres mais infelizes.

Capítulo 6

Grande cidade da memória: as zonas de tensão da emoção gerando as favelas

O menino que não pensava

Era uma manhã de inverno. Um casal apreensivo me procurou dizendo que um dos seus filhos estava com sérios problemas. A mãe tinha marcas de sofrimento no rosto. Fixando-me, ela disse: "Meu filho não produz pensamentos." Davi tinha seis anos. Sua aparência era normal. Não havia indícios de alterações genéticas, não tinha havido problemas no parto e o bebê nascera ativo e esperto.

Ele não teve alteração no desenvolvimento até um ano e meio. Nesse momento, seus pais, assustados, começaram a notar que o desempenho intelectual do filho começava a regredir. Angustiados, procuraram ajuda de diversos neurologistas e psiquiatras infantis.

Os anos se passaram e o menino não progredia. Ao contrário, parecia ter paralisado sua inteligência no tempo. Apesar do desenvolvimento físico normal, ele não conseguia produzir qualquer tipo de pensamento. Todos ficavam perplexos ao observar um garoto que não raciocinava. Procuravam entrar no mundo dele, mas era um território impenetrável.

As pessoas estavam ao seu redor, mas ele vivia como se ninguém existisse. Era indiferente até mesmo com seus pais. Os desenhos da TV não o atraíam, as outras crianças não o estimulavam. O caso era tão complicado, que levaram seus exames para profissionais da Alemanha. Todavia, ninguém sabia definir o que estava ocorrendo com ele.

Davi não conseguia produzir nem mesmo a ideia de que estava com fome ou sede. Para que sobrevivesse, sua mãe tinha de adivinhar suas necessidades básicas. Além de não produzir pensamento compreensível, tinha um comportamento agitadíssimo e incontrolável, sem nenhum limite. Aonde ia, causava grande transtorno. Destruía todas as festas de aniversário de que participava. Metia a mão no bolo e nos doces, como se tudo pertencesse a ele.

Com dois anos de idade, se jogava em piscinas e lagoas sem saber nadar. Tirava comida de cachorros violentos, abria a porta do carro em alta velocidade, sem perceber qualquer risco. Às vezes escapava do controle dos pais e empregados e andava no meio de rodovias de alto tráfego sem olhar para os lados. Não percebia que podia ser atropelado, pois não tinha noção alguma de perigo.

Medo não fazia parte de sua história. Por quê? Porque, diferentemente de Hem e Haw e de cada um dos leitores, ele não arquivara, ao longo da vida, uma série de experiências prazerosas e dolorosas. Portanto, não tinha parâmetros para estabelecer critérios de realidade.

Analisando o caso, percebi que a criança era portadora de um caso grave e atípico de autismo. Não tinha movimentos repetidos, mas havia se isolado completamente do mundo. Fechara-se dentro de si, não por querer, mas porque não desenvolveu canais de comunicação que só o universo dos pensamentos é capaz de produzir. O fenômeno RAM não estava imprimindo informações na sua memória. Sem informações, morre o mundo das ideias.

Por pesquisar sobre os papéis da memória e o funcionamento do aparelho psíquico, animei-me a aplicar algumas técnicas que pudessem abrir as janelas da memória de Davi e estimular o registro das informações. Achei que somente conquistando os terrenos da memória poderia promover a construção de pensamento.

Disse aos pais que só haveria esperança no tratamento se existisse uma boa reserva de memória no córtex cerebral. Só conseguiria ajudar o menino se o armazém de sua memória tivesse um bom espaço e, por algum motivo, as suas portas estivessem travadas. Mas como saber se o espaço era suficientemente grande para armazenar milhões de informações? E se fosse, como desbloquear as portas de entrada? Experimentando, aplicando técnicas. Eu me dispus a enfrentar o difícil desafio. Entretanto, a tarefa era mais difícil do que transformar um mendigo em um intelectual. Os mendigos ainda produzem pensamentos.

Esse caso me abriu a mente para compreender e confirmar algumas importantes teses nas quais acreditava e que estou descrevendo neste livro. Eu estava convicto de que o fenômeno RAM registra milhares de experiências diárias nas matrizes da memória, independentemente da vontade humana. Também pensava que a emoção determina a qualidade do registro. Quanto maior a carga emocional, mais intenso é o registro. Mas Davi não registrava quase nada. Eu ficava perturbado e me perguntava continuamente: o que estava acontecendo nos solos de sua memória?

O menino se comportava como se fosse um bebê. Sua deficiência mental era gravíssima, muito mais séria do que a das crianças com síndrome de Down que, com a mesma idade, produzem milhares de pensamentos, muitos deles complexos.

Eu não dispunha de muitas ferramentas, mas sabia que, para estimular o registro da memória de Davi e conduzi-lo a produzir pensamentos, precisava conquistar o território de sua emoção. Então comecei a usar técnicas que estimulassem intensamente a sua emoção, embora inicialmente ela parecesse insensível.

Fiz inúmeras reuniões com seus pais, professores e empregados. Pedi a todos que superelogiassem o menino, inclusive com palmas e gestos eloquentes, quando ele tivesse a mínima reação inteligente e atitude gentil. Solicitei também que não o punissem quando ele destruísse algo, mas expressassem tristeza, choro, reações de decepção. Pedi que fizessem isso inúmeras vezes por dia.

Tive dificuldade em ser atendido. Houve muitas pessoas, inclusive professores, que preferiram considerá-lo um deficiente mental, um caso perdido. Davi era expulso de escola em escola. Não suportavam o tumulto que ele produzia.

O que fazer? Desistir de Davi, ou sair da zona do meu conforto e tentar persuadir as pessoas a ajudá-lo. Não foi fácil, mas saí muitas vezes da zona de conforto do meu consultório e entrei no labirinto das escolas para dar explicações do seu comportamento para professores e diretores. Eu implorava para que não desistissem dele e não o expulsassem da escola.

Dei inúmeras aulas sobre os papéis da memória e o funcionamento da mente para seus educadores. As pessoas se encantavam com minhas aulas, mas, passado um tempo, desistiam do menino. Até que consegui um grupo de colaboradores que, juntamente com seus pais, perseveraram em aplicar diariamente as técnicas. Eles aprenderam que deveriam penetrar com gestos eloquentes no universo da emoção de Davi para conquistar os solos de sua memória.

Meu objetivo era que Davi interpretasse os gestos teatrais das pessoas que o rodeavam e produzisse experiências com grande volume emocional, capazes de serem registradas privilegiadamente. O registro privilegiado abriria as portas do armazém da memória, facilitando novos registros. Romperia o bloqueio.

Trabalhava com a tese de que, se tal processo ocorresse, os fenômenos que leem a memória funcionariam como engenheiros que entrariam espontaneamente nesse armazém, pegariam os materiais depositados e começariam a construir pensamentos. Eu acreditava que isso levaria, consequentemente, à produção de vínculos com o mundo de fora. O resultado? Beira o inacreditável. Felizmente, foi exatamente isso que ocorreu.

Davi desbloqueou sua memória e começou a registrar tudo rapidamente. Em dois meses, passou a produzir centenas de cadeias de pensamentos. No começo era estranho, pois ele produzia pensamentos de modo diferente de todas as crianças de sua idade. Não conseguia falar a palavra "eu", e usava sempre a terceira pessoa, pois não tinha identidade. Dizia: "O Davi quer água", "O Davi quer passear".

Também não tinha noção de tempo. O presente e o passado eram a mesma coisa para ele. Não sabia conjugar verbos. Quando começou a conjugar os primeiros verbos e a dar-lhes um sentido tempo-espacial foi uma festa. Dizer "ontem eu fui ao supermercado" era um concerto aos nossos ouvidos. Você não pode imaginar o quanto é complexa a noção de tempo que nos parece tão natural. Os computadores jamais terão consciência do passado e do presente. Para eles o tudo e o nada, o passado e o presente são a mesma coisa.

Em seis meses Davi começou a frequentar escola, embora com diversas dificuldades. Em um ano era o mais esperto, ativo e inteligente aluno da classe. Todavia, ainda causava muitos tumultos. Ninguém entendia um menino que, às vezes, produzia ideias brilhantes, mas, ao mesmo tempo, saía da sala de aula sem dar qualquer satisfação à professora, sentava à mesa do diretor como se a escola fosse dele, pegava coisas da cantina sem pagar, pulava a janela da classe quando bem entendia e esperneava no chão como um bebê quando era contrariado.

Foi uma tarefa árdua. Pouco a pouco, Davi começou a tecer a colcha de retalhos da sua personalidade e a criar vínculos afetivos com o mundo ao seu redor. Algumas vezes as lágrimas escorriam sobre o rosto dos que o amavam, inclusive o meu. Mas foi o carinho, a dedicação e a sabedoria de sua mãe que fizeram a grande diferença na construção da inteligência de Davi. Diferentemente da mãe de Hem e Haw, ela se preocupava muito com o território da emoção do seu filho e com o que ele registrava nos solos de sua memória.

 Muitos pais dão presentes, roupas, viagens, carros para seus filhos, mas não dão a si mesmos para eles, não dão o seu tempo, seu interesse, sua sabedoria. Eles cobram dos filhos a higiene bucal, mas não se preocupam em ajudá-los a fazer a higiene mental, uma faxina em seus pensamentos negativos, agressividade, impulsividade, insegurança. Veremos que tudo que é registrado na memória não pode mais ser deletado.

Davi está com mais de treze anos atualmente. Possui uma inteligência excelente e comportamentos refinados. É gentil, amável, perspicaz. Ele ainda tem pequenas diferenças intelectuais em relação a outros garotos de sua idade. Algumas dessas diferenças, porém, são positivas.

Ele tem menos medo, inibição, vergonha social. Também é mais criativo e seguro. Por exemplo, não tem qualquer receio de falar em público, contar histórias para pessoas estranhas e conversar com autoridades, ainda que seja o presidente do país. Sabem por quê? Porque, até os seis anos de idade, ele não entulhou de lixo sua emoção e não registrou zonas de tensão ligadas a indecisão, medo, preocupação com crítica dos outros, expectativas doentias.

Todas as pessoas têm algo a nos ensinar. A história de Davi me ensinou muito. Um garoto de seis anos me ensinou alguns caminhos da mente humana que eu via de longe, mas nunca tinha percorrido. Era impossível tratar dele nos primeiros meses dentro de um consultório. Até porque, na primeira sessão, ele colocou meu consultório de cabeça para baixo. Tive que pegar meu carro, sair com ele e procurar ambientes que o deixassem menos estressado, para então entrar em seu mundo.

Nunca tinha feito isso antes, nunca tinha corrido tantos riscos para ajudar alguém. Como ficou difícil encontrar tempo para dedicar-me a Davi e atender ao mesmo tempo a demanda dos pacientes que me procuravam. Teria sido mais fácil descartá-lo ou dizer que eu só o atenderia se ele permanecesse quieto numa poltrona. Mas, se tivesse feito isso, seria mais um profissional que passou pela vida dele e não o ajudou.

No começo, ele dava gritos estridentes e fazia escândalos dramáticos nos lugares públicos em que estávamos. Ninguém entendia o que estava acontecendo, nem eu tinha ânimo de explicar. Meu estoque de Queijo acabara. Se ficasse plantado em meu consultório, todo meu conhecimento psiquiátrico seria insuficiente para ajudá-lo. Tive que procurar novos estoques de Queijo no labirinto da minha mente, da mente dele e do ambiente social. Foi um mergulho em águas escuras. Mas, graças a Deus, consegui percorrer alguns espaços sinuosos. Talvez um dia conte em um livro a fascinante história do menino que não pensava e que ensinou, sem perceber, um pesquisador a compreender um pouco melhor os mistérios da mente humana.

Às vezes, eu ficava confuso e tinha de mudar as rotas. Não sabia direito onde estava pisando, mas sabia que não podia ficar parado, pois, caso contrário, esse menino se tornaria um adulto portador de uma grave deficiência mental. Seria enclausurado e dopado em algum hospital psiquiátrico. Davi resgatou o direito de pensar e se tornou um ser único e insubstituível no palco da vida.

Apliquei em outros pacientes as mesmas técnicas que apliquei em Davi. Todos os que possuíam uma razoável reserva de memória tiveram sucesso. Quanto mais cedo aplicá-las, melhor será o desempenho intelectual.

Essa história revela que nunca devemos desistir de nós mesmos e das pessoas que amamos. A mente humana tem recursos que não utilizamos e que podem revolucionar nossa inteligência.

A grande cidade da memória: a MUC e a ME,
o centro e a periferia

A memória pode ser dividida em duas grandes áreas: uma área central e consciente, que chamo de MUC – *memória de uso contínuo* –, e uma grande área periférica e inconsciente, que chamo de ME – *memória existencial*.

A MUC representa a memória de mais livre acesso. É a área da memória que lemos continuamente para produzir os pensamentos cotidianos, as emoções corriqueiras, as decisões diárias. A ME representa a memória que contém os segredos da nossa história passada. Nela se encontram milhares de arquivos com bilhões de informações produzidas desde a aurora da vida fetal. Todos os arquivos são interligados multifocalmente ou através de múltiplas direções.

Podemos entrar em arquivos do passado e do presente ao mesmo tempo. Por exemplo, podemos penetrar num arquivo que contém informações de uma atividade de trabalho do presente e esse arquivo é capaz de nos conduzir a ter acesso a um arquivo de um período da infância. A memória humana é tão fantástica que, embora os arquivos possam ser lidos isoladamente, frequentemente são lidos multifocalmente.

Posso ler múltiplos arquivos da minha memória e pensar, por exemplo, em uma das minhas filhas, em um amigo de infância, em uma conferência que darei daqui a uma semana, em um paciente, e extrair uma ideia que possa interligar todos essas informações. Ler a memória e construir ainda que seja um pequeno pensamento é uma produção mais fantástica do que construir o maior edifício do mundo. E muitos não se impressionam com a própria inteligência.

Figurativamente falando, a memória pode ser comparada a uma grande cidade. Os bairros estão ligados por múltiplas avenidas e ruas. A MUC corresponde ao núcleo central da cidade, ou seja, as ruas pelas quais mais caminhamos e as lojas, farmácias e supermercados que mais utilizamos. Por isso ela é chamada de *memória de uso contínuo ou consciente*.

A ME corresponde aos bairros periféricos, ou seja, as lojas, as farmácias, as ruas, que frequentávamos no passado, principalmente em nossa adolescência e infância. Tudo que não é frequentemente utilizado na MUC vai sendo deslocado para os bairros periféricos da ME, ou *memória inconsciente*.

Toda vez que você resgata uma experiência da periferia (ME), ela retorna para as áreas centrais da memória (MUC) e se torna consciente. Portanto, o trânsito entre o mundo consciente e inconsciente é enorme e contínuo. Frequentemente resgatamos informações de nossas infâncias e trazemos para nosso presente e, assim, produzimos recordações agradáveis ou desagradáveis.

Às vezes você não tem nenhum motivo exterior para estar triste, mas de repente surge uma angústia inexplicável. Alguns cientistas que não conhecem os papéis da memória tentam explicar essa reação por alterações no metabolismo cerebral, mas, na realidade, ela surgiu de um resgate sutil e imperceptível de algum bairro da periferia de sua memória.

Resgatamos informações da periferia para o centro e deslocamos informações do centro para a periferia. Onde estão seus amigos de infância, os professores da pré-escola, as ruas e praças em que você brincava? Um dia eles estiveram na MUC, no centro da memória, mas pouco a pouco foram substituídos por novas experiências e, assim, foram deslocados para a ME, para a periferia da memória. As aventuras da meninice não foram embora, estão apenas em bairros periféricos.

As zonas de prazer e de conflito

Se uma pessoa sempre foi alegre e sociável, mas, por alguns fatores, teve uma crise depressiva, é mais fácil resolver sua depressão do que a de uma pessoa que sempre foi negativista e isolada. Por quê? Porque as experiências de prazer da primeira infância não foram perdidas, estão nos bairros da ME. Quando essa pessoa começa a gerenciar seus pensamentos negativos, ela abre os ricos arquivos do passado e volta facilmente a sorrir.

O que as crianças mais precisam não é de roupa de grife, grandes presentes, internet, mas de alegria, simplicidade, brincadeiras ao ar livre e do carinho e dedicação dos pais. Os pais que dão o mundo para elas, mas não dão a si mesmos e não as ensinam a pensar, geram crianças frágeis, dependentes e despreparadas para enfrentar os desafios dos labirintos. A maioria dos jovens não tem sonhos nem ideais para os motivar. Eles precisam construir sonhos e ter metas, caso contrário viverão à sombra dos pais, sem identidade própria. Terão medo de explorar lugares nunca antes pisados. Quem teve uma infância feliz e livre pode superar mais facilmente as perdas do presente. Isso não quer dizer que as pessoas que viveram uma infância traumática estão programadas para serem angustiadas. Elas podem reeditar, como veremos neste livro, o filme do inconsciente, podem tornar-se autoras de suas histórias e escrever os principais capítulos de sua vida. Não tenha medo das cicatrizes do seu passado.

Você já notou que às vezes uma música, um perfume, uma paisagem ou a imagem de uma pessoa faz você entrar nos seus arquivos e resgatar uma doce recordação ou uma triste experiência? A qualidade da recordação dependerá da qualidade do arquivo aberto. Se o passado não foi reeditado, ele dormita, mas não morre. Tanto os traumas como os jardins da nossa infância estão vivos nos arquivos da memória.

A história de Davi revela muitos fenômenos da teoria da *inteligência multifocal*, mas um dos mais importantes é que a emoção tem um papel primordial na qualidade do registro de nossas experiências existenciais. Davi começou a preencher os campos da MUC à medida que sua emoção foi estimulada. Quanto mais intensa foi a emoção, mais forte foi o registro, e mais os arquivos foram abertos. Depois da abertura dos arquivos, ele começou a registrar inúmeras informações com emoção fraca. Arquivou milhões de informações a cada ano. As informações da MUC que ele não utilizava foram se deslocando pouco a pouco para a ME.

Todas as experiências que têm maior volume emocional são registradas privilegiadamente na memória, gerando zonas de conflito ou de prazer. Quando as experiências emocionais são negativas, tais como o medo, a agressividade, a raiva, o ódio, o desespero, a insegurança, elas geram zonas de conflito. Quando as experiências são positivas, tais como a alegria, a segurança, o conhecimento, os relacionamentos, elas geram zonas de prazer.

As zonas de conflito e de prazer são, portanto, registros privilegiados, o que garante que serão lidos continuamente. Quantas áreas de conflito obstruem sua inteligência? Quantas zonas de prazer enriquecem sua inteligência, libertam sua criatividade e alicerçam seu sentido de vida? Davi registrou mais zonas de prazer do que de conflito nos bairros da sua memória, por isso brilhou em sua inteligência e surpreendeu a todos.

Vamos agora explicar as zonas de conflito que obstruem nossa inteligência e geram o cárcere interior.

Alguns tipos de favelas da memória

Uma crise de pânico num elevador, se não for superada, pode ser registrada de maneira superdimensionada na memória, gerando uma zona de conflito chamada de claustrofobia. O elevador passa a sufocar, produz falta de ar, se torna uma caixa de fósforos para um portador dessa doença. Uma gafe em público, se não for trabalhada, pode gerar uma enorme dificuldade de comunicação em reuniões sociais.

Ao longo da vida registramos inúmeras áreas de conflitos em nossas memórias. Não percebemos, mas nossa indecisão, ansiedade, inquietação, dificuldade de manter a lucidez diante dos desafios estão ligadas a essas incontáveis zonas de conflito.

Se considerarmos cada zona de conflito como uma favela, podemos dizer que cada ser humano possui mais favelas do que a cidade mais populosa do planeta. Isso se deve não apenas à falha na educação, que não nos preparou para trabalhar nossas frustrações e sofrimentos, mas também ao fato de que, nos primeiros anos de vida, não tínhamos nenhuma defesa para evitar que as experiências traumáticas fossem depositadas como detritos nas tramas da memória.

Quando vivemos uma experiência de solidão, mágoa ou medo que dura alguns minutos, temos a falsa impressão de que, após esse período, essa reação foi embora. Mas não foi. Ela deixou o território da emoção e arquivou-se nos solos da memória.

Muitas crianças que ficam presas apenas por um minuto num quarto escuro podem arquivar em sua memória graves zonas de conflito ligadas à insegurança. Essas zonas, à medida que são lidas e expandidas, podem gerar uma hipersensibilidade emocional capaz de se manifestar como medo de escuro, de morrer, de perder os pais, de situações novas.

Há pessoas que têm a favela da solidão, e por isso se sentem tristes ao entardecer. Algumas gostariam de riscar do mapa o domingo, pois só se sentem bem no meio de gente e movimento. Há outras que têm a favela da impulsividade. Não suportam ser minimamente contrariadas e reagem agressivamente.

Há pessoas que têm a favela do sentimento de culpa. São tolerantes com os outros, mas péssimas para si mesmas. Vivem se punindo e preocupam-se ansiosamente com a crítica dos outros. Há outras pessoas que possuem a favela do perfeccionismo. Não admitem as suas falhas nem a dos outros. Não conseguem encontrar as águas tranquilas da emoção. Por serem rígidas, dançam a valsa da vida com as duas pernas engessadas.

Tire os gessos da sua mente! Viva uma vida mais suave e leve nos labirintos da existência. Não destrua você mesmo seu estoque de Queijo.

As zonas de conflito de Hem e Haw

Hem e Haw viveram um verdadeiro estado de pânico diante da crise de seus pais perante uma pequena barata. Além de se desesperarem diante do inseto, Dona Susan e o Sr. Robin começaram a desenterrar seus conflitos conjugais. Hem e Haw assistiram às cenas daquele drama e produziram uma emoção com grande volume de tensão que foi registrada como zona de conflito na MUC. A barata deixou de ser apenas um inseto para eles.

Toda vez que Hem e Haw estiverem diante de uma nova barata, a zona de conflito em que está arquivada a imagem monstruosa da barata será lida, gerando imediatamente uma zona de tensão na emoção, que será registrada novamente na memória, expandindo as favelas ou zonas de conflito deles. Eles poderão matar milhares de baratas fora deles, mas não resolverão seu medo. O medo só será resolvido quando matarem a barata dentro deles, quando descaracterizarem sua imagem doentia.

Infelizmente, a maioria das pessoas irá levar para o túmulo grande parte de seus conflitos. Sabem que são agressivas, inseguras, rígidas, intolerantes, e desejam mudar suas vidas, mas escolhem o alvo errado. Elas querem mudar exterminando a barata fora delas, mas nunca entrando no labirinto de sua memória para resolver a zona de conflito dentro delas, a barata psicológica. Não tente matar as baratas físicas, mas sim a imagem delas arquivadas em você. Os seus maiores problemas e seus piores inimigos estão dentro de você, ainda que você jure que estão fora.

Quantos profissionais têm grandes dificuldades de mudar suas atitudes, postura, capacidade de reagir? Leem dezenas de livros de autoajuda e ouvem inúmeras palestras sobre liderança e motivação, mas no rolo compressor do dia a dia permanecem "imutáveis", repetindo sempre os mesmos erros. Por quê? Porque não desenvolveram uma consciência real dos seus problemas, não sabem detectar o alvo certo e, portanto, não sabem ser líderes do seu próprio mundo. Continuarão iludidos, achando que mudarão se destruírem os problemas exteriores.

Cuidado! Não seja marionete das suas zonas de conflito. O primeiro passo rumo à liberdade é reconhecer o cárcere da emoção. É reconhecer que você não é um gigante na escola da vida nem um ser humano perfeito. Os que começam a reconhecer suas limitações aprendem a olhar com os olhos do coração.

Reflita: *você tem tido dificuldade de mudar características doentias da sua personalidade por escolher caminhos e alvos errados?* Não acredite em atos heroicos e informações arrebatadoras. Não há milagre para sanar as crateras da alma. Para resolvê-las, é necessário treinamento e educação. Sem esses requisitos permanecemos imutáveis. Vamos começar a aprender como fazer.

Cinco segundos para fazer o stop introspectivo e proteger a emoção

Para evitar o registro das zonas de conflito na memória é necessário fazer a técnica do *stop introspectivo:* pare, pense e proteja a sua emoção. Essa técnica neutraliza os estímulos estressantes, filtra-os, impede que eles nos invadam.

Quando estiver diante de uma ofensa, crítica, rejeição, derrota, desafio, perda, enfim, de qualquer estímulo agressivo, você tem no máximo cinco segundos para filtrar e criticar tal estímulo. Caso contrário, ele penetrará na arena da sua emoção e será registrado drasticamente na sua memória.

Se não aprender a proteger sua emoção, pouco a pouco você acumulará tantas zonas de conflito que terá ansiedade no trabalho, atritos nas relações afetivas, hipersensibilidade nas suas perdas. Será difícil suportá-lo. Talvez com o passar do tempo nem você suportará a si mesmo. Quando sinto que não protejo minha emoção, prejudico minha qualidade de vida e a das pessoas que me rodeiam.

Como fazer o *stop introspectivo*? Produzindo pensamentos inteligentes contra pensamentos negativos e emoções tensas. Por exemplo, se alguém lhe disser "você é um tolo". O que fazer? Comprar essa ofensa? Não. Você deve rapidamente produzir ideias seguras no oculto da sua mente, tais como: "eu não quero ser escravo de quem me ofendeu", "eu exijo ser livre e tranquilo, mesmo ofendido". Você tem que neutralizar rapidamente a ofensa, caso contrário o fenômeno RAM irá arquivá-la.

Após você proteger sua emoção do estímulo estressante através da técnica do *stop introspectivo*, avalie as causas desse estímulo, reflita sobre sua origem e fundamentos. Talvez você tenha errado ou ferido alguém. Se esse for o caso, tenha coragem de pedir desculpas. Os fortes reconhecem seus erros, mas os fracos não os admitem.

Infelizmente, a educação clássica escolar cometeu uma grave falha. Ela nos ensinou a inteligência lógica, ou seja, a matemática, a física e a química. Mas não nos ensinou a inteligência emocional. Não nos ensinou também a inteligência multifocal: a resgatar a liderança do "eu", a fazer um *stop introspectivo* para proteger a emoção, a trabalhar perdas e frustrações.

A educação clássica nos deu um diploma, mas, ao entrarmos na escola da vida, percebemos que estávamos despreparados. Faltaram-nos criatividade, segurança, determinação, flexibilidade, metas, espírito empreendedor e proteção emocional. Este é um dos grandes motivos pelos quais muitos executivos, intelectuais e profissionais liberais têm sido literalmente derrotados por suas frustrações, perdas, estresse conjugal, competição no trabalho.

Todos os dias plantamos jardins ou edificamos favelas nos solos da memória. Qual é a sua escolha? Precisamos quebrar as algemas do cárcere da emoção. Há pessoas excelentes que, por não terem aprendido a fazer um *stop introspectivo* e proteger sua emoção, transformaram suas vidas num árido deserto, sem encanto e alegria.

Se o ambiente do seu trabalho não lhe produz prazer, satisfação, motivação, a cada vez que pisa na sua empresa ou no seu escritório, você destrói algumas flores do jardim de sua memória. Ela se torna lentamente um solo mais seco e improdutivo. Mesmo que um dia você saia da empresa, vai carregar as cicatrizes dos momentos ansiosos que nela viveu.

Reúna seus colegas de trabalho mensalmente e faça uma mesa-redonda para refletirem sobre a qualidade de vida do grupo. Aprenda a conversar honesta e abertamente sobre as pressões internas e externas, sobre medidas para melhorar o relacionamento e expandir a interação social.

Pessoas inteligentes trabalham em ambientes agradáveis. Nem sempre é possível eliminar o estresse e certas pressões profissionais, mas é possível e necessário cultivar as flores entre os espinhos. Quando as pessoas se sentem felizes no ambiente de trabalho, elas abrem mais as janelas de sua memória, expandem mais o mundo das ideias e produzem melhor.

Transmitindo os conflitos de geração para geração

Toda empresa deve ter uma cultura e uma filosofia. Sem cultura e filosofia planejadas e assumidas, a empresa move-se apenas em função dos números. Ela se torna um péssimo ambiente para seus funcionários e uma péssima prestadora de serviço para seus clientes. Os clientes passam a ser não mais seres humanos especiais, mas apenas consumidores em potencial. Uma empresa que não é capaz de pensar dez ou vinte anos à sua frente é autodestrutiva.

A empresa portadora de uma excelente filosofia tem consciência de que existe para a sociedade, e não a sociedade para ela. Sua meta é contribuir para tornar a sociedade melhor. Sua vocação é colaborar para o crescimento humano. Seu sonho é gerar qualidade de vida em todas as pessoas que ela atinge direta ou indiretamente. Para ela o lucro financeiro caminha paralelamente ao lucro emocional.

As empresas que não possuem uma filosofia sólida costumam perpetuar seus defeitos ao longo das gerações de funcionários. Entre esses defeitos estão a falta de comunicação, a carência de solidariedade, o falso trabalho em equipe, a competição predatória interna, os mecanismos maquiavélicos para ocupar o lugar dos outros.

No ambiente familiar, os conflitos também são transmitidos através das gerações. Muitos são transmitidos por três ou quatro gerações, até que tenham uma resolução espontânea. Essa transmissão é maléfica e desumana, pois, se houvesse a intervenção do "eu" no funcionamento da mente, ela poderia ser resolvida em semanas ou meses.

As fobias, às vezes, são transmitidas de pai para filho, não através da carga genética, mas pelo aprendizado. A avó de Hem e Haw, mãe de Dona Susan, devia ter fobia de baratas. Dona Susan registrou de um modo privilegiado o comportamento de sua mãe e adquiriu esse tipo de medo. Seus filhos acabaram se contaminando com o mesmo medo.

Pais inseguros podem produzir filhos inseguros. Pais tímidos podem gerar filhos tímidos. Pais excessivamente consumistas e que sempre estouram seu orçamento podem gerar filhos com a síndrome compulsiva de comprar. Por incrível que pareça, costumamos reproduzir os defeitos que mais detestamos em nossos pais. Por quê? Porque registramos sutil e inconscientemente esses defeitos em nossa memória. Os filhos que sentem grande angústia diante dos comportamentos dos pais vivenciam experiências com grande volume emocional que são registradas privilegiadamente pelo fenômeno RAM, ficando disponíveis para serem lidas.

Às vezes reproduzimos características opostas às dos nossos pais, devido ao sofrimento que atravessamos pelos comportamentos deles. Pais alcoólatras podem gerar filhos avessos a bebidas alcoólicas. Pais consumistas podem gerar filhos supercontrolados em seus gastos.

Cuidado! Observe seriamente se você não sofreu a contaminação de conflitos familiares e não está transmitindo esses conflitos para a próxima geração. Vou lhe dar alguns exemplos:

mania de limpeza, preocupação excessiva com doenças, intolerância a contrariedades, caráter impulsivo, caráter acomodado, preocupação excessiva com a opinião dos outros, discriminação, variadas formas de medo.

A inteligência lógica de Hem e Haw era superior à de Sniff e Scurry, mas estes arquivaram menos zonas de conflito em sua memória. Hem e Haw adquiriram um grave defeito: usavam sua energia para lamentar e não para ir à luta. Reclamavam do seu salário, mas não faziam nada para criar oportunidades em seu ambiente de trabalho. Sentiam-se injustiçados, pobres-coitados.

A pior coisa para virar o jogo emocional e profissional é a prática do "coitadismo". Se você se considera um coitado ou uma coitada, ainda que disfarçadamente, você nunca abrirá o leque do pensamento para encontrar soluções para seus problemas, pois sempre culpará alguém ou alguma coisa externa por suas dificuldades ou por seus erros.

Costumo dizer que o problema não é a "doença do doente", mas o "doente da doença". A doença pode não ser grave, mas se o doente é ruim, acomodado, passivo, ele viverá de migalhas e não mudará sua situação. Se a doença ou característica da personalidade for grave, mas o doente é bom, possui um "eu" determinado e resoluto, então, mais cedo ou mais tarde, ainda que com recaídas, ele ficará livre dela.

Capítulo 7

A reedição do filme do inconsciente: a memória não se deleta

Ronaldo: a história de um jovem que mudou seu destino

A história que descreverei a seguir é tão fascinante que me inspirou a escrever um outro livro: *Nunca Desista do Seu Sonho*. Ela é inspirada na história de Ronaldo, um dos maiores fenômenos mundiais do futebol, o craque da seleção brasileira. Sua história será analisada não por um jornalista, comentarista esportivo ou técnico de futebol, mas por um pesquisador da psicologia e pensador da filosofia.

Por que estudar algumas áreas da história do jovem Ronaldo? Não é pela sua fama, dinheiro, aplauso mundial, pois essas coisas têm pouco valor para a psicologia e filosofia, mas pelos acidentes e turbulências que ocorreram em sua vida. Suas dores e dificuldades foram tão eloquentes quanto suas vitórias. Ele teve todos os motivos para ser paralisado pelo medo e desistir dos seus sonhos, mas se tornou um grande sonhador e um exímio empreendedor. Por isso venceu.

Os perdedores veem os raios, mas os vencedores veem a chuva e com ela a oportunidade de cultivar. Os perdedores sofrem inutilmente, mas os vencedores jogam num time que extrai as mais belas lições de vida das suas derrotas, erros e fracassos. Em que equipe você joga? Os vencedores aprendem a navegar nas águas da emoção e ser livres dentro de si mesmos, ainda que o mundo exterior esteja desabando sobre suas cabeças. Vejamos a história do Ronaldo.

Ele era um garoto simples. Não gostava muito de ir à escola. O seu mundo era o futebol. O menino cresceu com a bola nos pés e um sonho na cabeça. Queria ser um profissional, um grande jogador. Sua ascensão foi meteórica. Com pouco mais de vinte anos foi considerado o melhor jogador do mundo. Posteriormente, reproduziu a dose do sucesso. Como um astro raríssimo, conseguiu ser eleito pela segunda vez.

Dinheiro, fama e glória invadiram a sua história. Mas como a vida é um grande e surpreendente labirinto, um dia acabou seu estoque de Queijo. O brilhante jogador da seleção brasileira conheceu o caos. Sem ter tempo para se preparar, ele passou por diversos problemas físicos e psíquicos que poderiam afastá-lo para sempre dos campos de futebol. Caminhou pelos labirintos da sua carreira e andou por espaços árduos, incógnitos e difíceis de transitar.

Raramente um jogador sofreu tanta pressão social e emocional. A convulsão na concentração, cinco horas antes da final de 1998 com a França. Vitória da seleção francesa. Mais de um bilhão de pessoas presenciaram o fiasco da seleção brasileira, a grande favorita.

O desespero de Ronaldo por ter de jogar essa final psicologicamente abalado. O escândalo mundial pelas notícias da convulsão. As duas cirurgias no joelho que o afastaram por dois anos dos gramados. O retorno dramático ao estádio olímpico de Roma, quando o mundo assistiu, chocado, à sua queda e expressão de dor pela ruptura do tendão patelar. Todas essas situações se tornaram uma dramática fonte de estresse para esse jovem de apenas vinte e cinco anos.

Seus problemas não pararam por aí. Muitos médicos afirmaram que ele deveria desistir, que jamais voltaria a fazer aquilo que ele mais sabia e mais gostava de fazer: jogar futebol. Todas essas experiências foram registradas na memória de Ronaldo, gerando zonas de conflito que poderiam obstruir sua inteligência e eficiência. Ele certamente teve noites de insônia e períodos intensos de ansiedade por pensar num amanhã sombrio. Seus pensamentos tensos roubavam energia do seu cérebro, geravam um cansaço físico exagerado e outros sintomas psicossomáticos.

Era normal que ele ficasse paralisado pela insegurança e fosse mais um derrotado que subiu ao topo da fama e desceu como um meteoro para nunca mais se levantar. Pela previsão psicológica natural, era de se esperar que ele fosse aprisionado pelo cárcere do medo e impedido de sonhar novamente com sua carreira.

O grande estoque de Queijo do número um do mundo havia se esgotado rápida e completamente. Os quatro anos de glória e prestígio foram para o espaço. Restou o saudosismo. E agora: ele deve sair para o labirinto ou ficar plantado em sua zona de conforto, lamentando-se e culpando o mundo?

Aparentemente era loucura sair para o labirinto e disputar um lugar no pódio com milhares de outros jovens jogadores que não passaram pelo deserto emocional nem pelas cirurgias a que ele se submeteu. Como usar a imagem de um esportista que estava no topo do mundo e agora está fora de cena, tornando-se talvez apenas mais um entre milhares?

Diante de todos esses fatores, a atitude mais confortável era desistir. O que você faria se perdesse seu emprego, fosse abandonado por seus amigos e criticado publicamente como alguém imprestável para fazer aquilo que mais sabia? Muitos desistem, alguns se isolam completamente da sociedade ou até pensam em suicídio. Mas nada segurava o jovem Ronaldo em sua zona de conforto. Contra a expectativa de médicos, jornalistas e milhares de torcedores, ele foi à luta. Teve de caminhar sozinho em áreas nunca antes pisadas.

Precisou primeiro caminhar dentro do seu próprio ser e aprender a navegar nas águas da emoção. Teve de atravessar as imensas ondas do medo, da incerteza e das influências negativas. Poderia cair no ridículo e, se fracassasse, confirmaria a sentença de morte como esportista, confirmando o que muitos já haviam prenunciado.

Mas sua determinação de vencer resgatou a liderança do "eu", produziu uma revolução em sua memória e começou a reeditar seus conflitos internos. Assim, contra as expectativas de muitos e com o apoio de Felipe Scolari – mais do que um técnico, um grande companheiro –, de seu fisioterapeuta e amigo Filé e de outros amigos, sua derrota se converteu em vitória.

Lutou contra a própria insegurança. Confrontou sua própria dor. Descobriu intuitivamente que os piores inimigos estavam dentro do seu próprio ser. Por isso, praticou muito e sonhou que venceria. Esqueceu do seu velho Queijo, da fama e do dinheiro que havia conquistado, e partiu em busca de novos estoques de Queijo. Queria vibrar e vencer em novas partidas e em novos estádios.

Ah! Quantas vezes ele deve ter chorado! Quantas vezes as dúvidas o abalaram! Com vinte e cinco anos de idade, viveu o peso estressante da fama esfacelada. Retornar do caos quando se foi o número um é dificílimo. A história revela que a maioria jamais se reergue. Entretanto, quando amamos algo intensamente, nenhum obstáculo é grande demais para impedir-nos de conquistá-lo.

Ronaldo brilhou na Copa do Mundo de 2002 com oito gols. Tornou-se um dos maiores artilheiros das Copas do Mundo. Entretanto, talvez a fama não terá jamais o mesmo sabor para ele. Por quê? Porque ele navegou nas águas da angústia e se humanizou. Compreendeu a brevidade da vida e a fragilidade da fama.

Depois do seu sucesso, o mundo o considerou um deus do futebol, mas, se ele aprendeu a se interiorizar, talvez se considere apenas um ser humano mais maduro e experiente. Alguém que descobriu que o destino frequentemente não é inevitável, mas uma questão de escolha. Ele escolheu mudar seu destino, enquanto muitos velam seus fracassos. Preferiu correr riscos nos gramados da Coreia e do Japão. Saiu do seu casulo.

Todos amam a fama, mas, do ponto de vista psicológico, ela é uma faca de dois gumes. Como já disse, apenas os primeiros degraus da fama expandem o prazer de viver. Os últimos degraus geram ansiedade, roubam a tranquilidade e a privacidade. A fama é uma armadilha que, se não for bem trabalhada, aprisiona as pessoas numa bolha de solidão. Raramente uma pessoa muito famosa é mais alegre do que era quando vivia no anonimato, a não ser que tenha passado por privações.

Um dia, a fama se despedirá de Ronaldo. Não será mais assediado. O tempo sulcará sua pele, trazendo as marcas da velhice, e sua musculatura portentosa se tornará flácida. Mas se aprendeu lições de vida no seu caos, então é possível que seja feliz longe dos aplausos. Provavelmente contemplará o espetáculo da vida no anonimato.

Se Ronaldo aprendeu preciosas lições de vida no seu caos, então certamente começou a enxergar a vida com os olhos do coração e tornou-se capaz de agradecer ao Autor da vida por cada minuto vivido, até aqueles em que sua alma chorou. Essas lições valem mais do que todo dinheiro e toda a fama do mundo, pois só elas podem nos revelar que *a grandeza do ser humano está em perceber sua infinita pequenez* e que *as coisas mais belas da existência se escondem atrás das coisas mais simples*.

Ele já fez doze gols em Copas do Mundo, se igualou a Pelé. Talvez na próxima Copa bata o recorde de quatorze gols, que pertence ao alemão Gerd Muller. Será uma grande vitória. Um feito extraordinário para o mundo.

Todavia, para mim, que sou apenas um pensador da psicologia e da filosofia, e, talvez, para o próprio Ronaldo, as suas maiores vitórias não aconteceram no gramado da Coreia e do Japão nem acontecerão em outras Copas. Suas maiores vitórias ocorreram nos solos de sua memória e no território de sua emoção. Nesse gramado não há gigantes nem aplausos, todos somos pequenos e eternos aprendizes. Felizes os que fazem essa descoberta!

O grande mérito de Ronaldo foi não desistir dos seus sonhos quando o mundo desabava sobre sua cabeça. Lute você também pelos seus sonhos. Se lutar, não tenha medo de falhar. Se falhar, não tenha medo de chorar. Se chorar, repense sua vida, mas jamais desista de caminhar.

A memória se reedita e não se deleta

A história de Ronaldo mostra um dos mais importantes papéis da memória, pouco conhecido na psicologia e psiquiatria: *a memória não se deleta, só se reescreve*. A memória humana não pode ser deletada ou apagada como facilmente fazemos nos computadores.

Por que não conseguimos apagar a memória? Porque não possuímos ferramentas psíquicas, nem acesso, e não conhecemos o local das experiências doentias. Para termos uma ideia, apenas a área do tamanho de uma ponta de caneta contém milhões de experiências e informações em determinadas áreas do córtex cerebral. Como localizá-las e deletá-las? Impossível! Por isso não é fácil mudar nossa história com atos heroicos. É preciso ter consciência e treinamento.

Como localizar aquele dia em que você sofreu muito, em que perdeu uma pessoa querida, em que ficou preso num quarto escuro ou sofreu uma humilhação? Como separar as experiências doentias das saudáveis? Impossível. Portanto, a única possibilidade que nos resta é reescrever os capítulos de nossa história.

Já pensou se pudéssemos apagar nossa memória? O que você gostaria de deletar? Em segundos todas as pessoas e acontecimentos que lhe causaram sofrimento deixariam de existir para você. Às vezes, se pudesse, apagaria todos os arquivos de sua memória.

Qual seria o resultado? Você voltaria a ter a memória de um feto em seu estágio inicial. Teria uma inimaginável e gravíssima deficiência mental. Cometeria, assim, um suicídio da sua inteligência. O Autor da vida protegeu completamente nossa memória contra os ataques de um "eu" frustrado. Somente um tumor cerebral, um trauma craniano, um acidente hemorrágico ou uma degeneração cerebral podem destruir a memória.

Nossa memória só pode ser reescrita ou reeditada, e nunca apagada. Reeditar o filme do inconsciente é o maior desafio do "eu". Para reeditar o filme da memória temos de sobrepor novas imagens sobre imagens antigas, novas experiências sobre experiências antigas. Isso depende de treinamento.

No livro *Treinando a Emoção para Ser Feliz*,[3] comento que nunca tivemos uma indústria de entretenimento tão diversificada e robusta como na atualidade, com ofertas em abundância, mas, paradoxalmente, o ser humano moderno nunca foi tão triste e sujeito a tantas doenças emocionais. Que contraste!

Ninguém nasce feliz, é preciso treinar ser feliz. Como fazê-lo? Aprendendo a proteger a emoção nos focos de tensão, contemplar o belo nos pequenos eventos da rotina e resgatar a liderança do "eu" para gerenciar pensamentos e reeditar o filme do inconsciente.

Uma técnica do DCD: o resgate da liderança do "eu"

Uma excelente técnica para resgatar a liderança do "eu" e reeditar o filme do inconsciente é o DCD. A técnica do DCD (duvidar, criticar e determinar) pode trazer uma importante contribuição para reescrevermos nossa história. Ela deve ser feita dezenas de vezes por dia, no silêncio da mente, e por um período de pelo menos seis meses. Quem usá-la adequadamente deixará de ser vítima de sua história. E, se estiver em tratamento psiquiátrico ou psicoterapêutico, dará um grande salto em sua terapia.

Tudo aquilo em que acreditamos nos controla. Se você crê que sua vida tem valor e que é uma pessoa capaz e inteligente, então sua crença expande sua qualidade de vida. Mas se crê que

---

[3] *Treinando a Emoção para Ser Feliz*. Academia de Inteligência, São Paulo, 2001.

está programado para sofrer, que nada dá certo para você, que sua inteligência é medíocre, que não consegue transformar sua ansiedade em tranquilidade, então sua crença é autodestrutiva. Você nunca será livre, se não implodir esses preconceitos.

A dúvida é o princípio da sabedoria em filosofia. Ela abre as janelas da mente e nos faz pensar em outras possibilidades. Portanto, você deve duvidar continuamente de tudo aquilo que conspira contra a sua saúde psíquica.

Duvide de todo sentimento de incapacidade, duvide da sua timidez, do seu complexo de inferioridade, de tudo o que encarcera sua inteligência. Duvide que você não consegue vencer seu mau humor, sua insegurança, sua depressão, sua ansiedade, seu medo de percorrer os labirintos de sua vida e explorar novos espaços.

Critique também todo pensamento negativo, toda ideia perturbadora, toda doença psíquica e toda passividade do "eu". Um "eu" passivo será sempre um escravo. Aprenda a virar a mesa dentro de si mesmo e ser líder do que você pensa e sente. Reflita criticamente sobre as zonas de conflito que foram criadas no seu inconsciente. Depois de exercer a arte da dúvida e da crítica, você preparou o "eu" para ser forte e determinante.

Determine ser feliz, ter tranquilidade e serenidade. Não peça para ter tranquilidade, determine ter tranquilidade. Não peça para ser alegre, determine contemplar a beleza do mundo e ser feliz, mesmo que você tenha muitos defeitos e inúmeros problemas. Não deixe a energia emocional ir para a direção que ela quiser. Dê-lhe um choque de lucidez e direcione-a. Tenho certeza de que isso é possível. Há uma força incrível em cada pessoa que é subutilizada.

Todos os meus pacientes que fazem o DCD continuamente revolucionam sua qualidade de vida. Essa técnica é profunda e prática e não tem nada a ver com o positivismo. O positivismo é superficial, pois a pessoa declara que está tudo bem, quando na realidade está mal. Ao contrário, a técnica do DCD leva o "eu" a assumir seus conflitos e suas misérias interiores e o conduz a ser autor da história. Faz com que ele deixe de ser passivo, frágil, submisso aos problemas sociais e aos transtornos psíquicos. Torna-o um gerente dos pensamentos e um administrador das emoções. Além disso, alimenta e reedita a memória.

Recentemente uma jovem que durante anos deu enorme trabalho aos seus pais compreendeu essa técnica e tomou posse dela. Ela era agressiva, não estudava, não trabalhava, não tinha limites. Então, através dessa técnica, mudou alguns pilares de sua vida.

Ela começou a proclamar diária e eloquentemente dentro de si mesma: "eu duvido que não conseguirei ser uma empreendedora", "eu duvido que não serei capaz de brilhar na minha inteligência", "eu critico minha passividade e agressividade", "eu determino ser segura e feliz".

Ela criava dezenas de pensamentos com liberdade e de acordo com sua capacidade. Tais pensamentos a faziam repensar sua história e, ao mesmo tempo, produziam uma atitude que confrontava com seus conflitos. O resultado? Uma revolução silenciosa. Tornou-se uma pessoa mais dócil, tranquila e responsável. Recaiu algumas vezes, mas pouco a pouco reurbanizou algumas favelas de sua memória.

Uma técnica educacional

A técnica do DCD não anula o tratamento psiquiátrico e psicoterapêutico quando eles forem necessários, mas os complementa de maneira espetacular. Os terapeutas que a usarem conduzirão seus pacientes ao caminho da liberdade mais rápido e com mais raízes. Todavia, ela vai muito além de auxiliar pacientes com depressão, ansiedade, síndrome do pânico, estresse, fobias, psicose.

Essa técnica é educacional. Deveria ser aplicada desde a mais tenra infância para prevenir doenças psíquicas e expandir a inteligência. Lembro-me de um juiz de direito que me disse que, se a tivesse conhecido desde pequeno, sua história não teria tantas dores e lágrimas.

Cada pessoa deve aplicá-la de maneira espontânea e silenciosa. Não é necessário obedecer à sequência que descrevo: duvidar, criticar e determinar. Faça-o do modo que achar melhor, produzindo pensamentos inteligentes e seguros contra tudo que não promove a vida.

A dúvida desmorona as favelas da memória, a crítica remove os entulhos e a determinação reconstrói ou reurbaniza os solos conscientes e inconscientes, produzindo novas características de ser, pensar e agir. Não é fácil transformar a personalidade, não há milagres. Mas é possível.

Qualquer tipo de psicoterapia – psicanalítica (atua na causa) ou comportamental (atua no sintoma) – só tem sucesso no tratamento dos pacientes se a memória for reeditada. A técnica do DCD reúne os princípios analíticos e comportamentais: atua na causa e nos sintomas. Ela pode ser uma grande ferramenta para qualquer corrente psicoterapêutica.

A memória é a maior poupança de um ser humano. O que você deposita diariamente na sua memória é o que você colherá no futuro. Algumas pessoas, antes calmas e alegres, se tornam mais tarde ansiosas e deprimidas, sem saberem o motivo. Se você analisá-las, verá que elas depositaram lentamente no âmago do seu ser preocupações, angústias, frustrações, ideias negativas, ciúmes, agressividade.

As emoções e as ideias que você vive no anfiteatro da sua mente não interessam apenas ao momento presente, mas ao seu futuro. Cada experiência do presente é uma semente que brotará ao longo de sua vida. Não adianta fazer seguro de vida, do carro, ter plano de previdência, se você não fizer um seguro emocional.

Os que maltratam o delicado solo de sua memória destroem a fertilidade da sua emoção. A maioria das pessoas maltrata esse solo e por isso, ao longo dos anos, elas se entristecem, perdem a simplicidade e ficam complicadas e intranquilas. Estou sempre sentindo que preciso me descomplicar.

Não se iluda! Se não aprender a proteger sua emoção e governar minimamente seus pensamentos, suas chances de felicidade ficarão comprometidas.

Reedição do inconsciente aplicando o DCD: uma história de sucesso

Um dia, após dar uma conferência sobre qualidade de vida e educação da emoção em Fortaleza, Ceará, fui procurado por uma mulher, chamada Marta, de cerca de quarenta anos, casada, de nível superior. Ela tinha um profundo ar de tristeza. Estava sofrendo de depressão e síndrome do pânico havia cerca de vinte anos. Passara por quinze psiquiatras e tinha tomado todo tipo de antidepressivo. Sentia desânimo, fadiga, tristeza, ansiedade, insônia, fobia. O mundo havia desmoronado sobre sua emoção.

Nos últimos dez anos isolara-se em sua casa. Marta deixou de trabalhar e não saía de casa sozinha nem para ir ao supermercado ou ao cabeleireiro. O mundo se tornara do tamanho do seu quarto. A vida passou a ser fonte de medo e ansiedade. Era completamente dependente do marido, da empregada e de suas filhas. Uma pessoa digna de compaixão, encarcerada na pior prisão do mundo.

Por morar em outro estado, a mais de quatro mil quilômetros de distância de minha residência, pedi-lhe que não interrompesse o tratamento psiquiátrico que estava fazendo, mas procurasse resgatar a *liderança do "eu"* através da técnica do DCD. Disse que, se ela repetisse essa técnica dezenas de vezes por dia no silêncio de sua mente, reurbanizaria as favelas de sua memória e reescreveria as zonas de conflito de seu inconsciente.

Em tom de desafio, afirmei que, se ela tivesse tal atitude interior, uma revolução ocorreria na matriz de sua memória. Em três meses poderia reconstruir algumas áreas da sua personalidade e resolver sua depressão e síndrome do pânico. Nesse caso, ela sairia sem medo para os diversos labirintos de sua vida. E completei que, ocorrendo isso, ela pegaria sozinha um avião e iria me visitar em meu estado.

Marta ficou perplexa com o desafio. Não propus uma solução mágica, mas apenas que saísse da sua passividade e percorresse as vielas do seu ser. Talvez, pela primeira vez em vinte anos, ela tenha se disposto a deixar de ser vítima de sua história e partir para conquistar terrenos dentro de si mesma...

De repente, decorridos três meses, vi de longe uma pessoa sorrindo de braços abertos vindo em minha direção. Não reconheci seu rosto inicialmente. Era Marta, livre, alegre, feliz, segura. Deu-me um abraço prolongado e seus olhos se encheram de lágrimas. Ela superara o cárcere de sua emoção. Melhorou tanto que seu psiquiatra ficou perplexo. Disse-lhe que, em mais de vinte anos de profissão, nunca vira uma pessoa resgatar sua saúde psíquica como ela.

Meses depois, esse psiquiatra passou por uma crise depressiva. Então, Marta me ligou ansiosa, pois ele queria saber sobre a técnica do DCD com mais detalhes. Foi a vez de a paciente ajudar seu psiquiatra. Não fiz muito pela paciente, ela fez muito por si. Apenas ensinei-lhe a usar a ferramenta do DCD para ser autora da sua história.

Os antidepressivos e os tranquilizantes são bons atores coadjuvantes, mas o ator principal é o "eu". Se você aprender a resgatar a liderança do seu "eu", reescreverá sua história, terá prazer e habilidade para transitar nos labirintos da sua emoção e da sociedade.

A dramática história de Marta, a superação de seu problema, é um exemplo de que qualquer pessoa pode produzir uma revolução na sua vida. Pais podem conquistar os filhos mais rebeldes, filhos podem encantar os pais mais problemáticos, casais sem tempero emocional podem reacender as chamas do amor, profissionais superados podem sair da sua inércia e se tornarem homens brilhantes no seu ambiente de trabalho, pessoas tímidas podem se tornar sociáveis, seguras e rodeadas de amigos.

Nunca se esqueçam de que não há milagres para transformar a personalidade. No calor da segunda-feira, os atos heroicos de mudanças se evaporam. É necessário mudar as matrizes da memória para reeditar o filme do inconsciente. O que Freud e outros pensadores comentaram, mas não compreenderam plenamente sobre o universo do inconsciente, agora ficou um pouco mais claro com a *inteligência multifocal*.

Segundos que marcaram uma vida

Certa vez, um menino de quatro anos de idade estava nu, sendo examinado por uma médica pediatra idosa. Enquanto ela o examinava, o pênis do menino ficou ereto. Ao ver a cena, o pai deu-lhe uma bronca na frente da médica. Sua reação agressiva não durou mais do que trinta segundos, mas marcou para sempre a história do seu filho.

A médica protegeu a criança diante do ataque do pai. Mas a bronca foi registrada de modo superdimensionado no solo inconsciente da memória desse pequeno garoto. O registro ficou disponível na zona central da memória, na MUC.

Ele leu e releu milhares de vezes esse registro durante sua existência. Tal processo produziu um trauma sexual, gerando uma falta de identidade masculina que o atormentou a vida toda. Ele, inconscientemente, ficou fascinado com a médica idosa. Quando se tornou um adolescente e, depois, um adulto, começou a sentir-se atraído por mulheres trinta anos mais velhas do que ele.

Embora tenha se tornado um grande empresário e um brilhante executivo, não foi feliz no território da emoção. Possuía vários carros de luxo na garagem, mas carros, dinheiro e prestígio social não resgataram seu sentido de vida. Contou-me que sua história fora um caos. Até que, com cinquenta anos de idade, velejou pelos labirintos de sua memória e começou a reeditar os conflitos que controlavam sua emoção.

Ao longo de minha vida, presenciei muitas pessoas invejadas socialmente, mas que no íntimo de seu ser não eram felizes. Alguns empresários que tinham centenas e até milhares de funcionários chegaram a me dizer que prefeririam morar numa favela e ter paz interior. As favelas físicas eram um bálsamo se comparadas com as favelas emocionais que saturavam seu inconsciente. Outros disseram que preferiam ser um pescador e sair mar adentro a ter mansões na praia. Sem tranquilidade, o ser humano não vive, vegeta.

Judeus e palestinos: resolvendo suas zonas de conflito

A gravidade da crise entre judeus e palestinos é para mim o exemplo mais eloquente da falência da espécie humana. Os ataques terroristas de palestinos e as retaliações do governo de Israel indicam que, apesar de nossa espécie produzir o fantástico mundo das ideias, este tem sido insuficiente para gerenciar nossos instintos nos focos de tensão e lapidar a arte da solidariedade e tolerância.

Eu tenho origem multirracial, incluindo ascendência árabe e judia. Tenho grande apreço por esses dois povos, mas, como pensador da psicologia, me entristeço em constatar que o conflito entre eles é uma amostra de que a espécie humana está morrendo naquilo que tem de mais nobre. Morrendo na sua capacidade de expor, e não impor, as ideias, de se colocar no lugar dos outros e perceber suas necessidades psicossociais, de se doar sem esperar a contrapartida do retorno, de trabalhar suas dores e frustrações.

Árabes e judeus possuem a mesma carga genética paterna. São filhos de Abraão. Apesar da mesma origem, combatem-se como se não fossem irmãos nem pertencentes à mesma espécie. Estão tão feridos nas vielas do seu ser que não sabem navegar nas águas da emoção e revolucionar seu modo de encarar a vida e reagir aos problemas. A violência substituiu o diálogo. Vivem uma grande crise de confiabilidade.

Estamos em pleno terceiro milênio. Bilhões de novas informações são produzidas anualmente. Nunca a ciência avançou tanto, contudo nunca ela frustrou tanto o homem. Esperávamos que a ciência extirpasse a discriminação, a violência, a fome, a injustiça, a agressão ao meio ambiente, enfim, as mazelas da humanidade. Acreditávamos na ciência como se fosse um deus. Mas eis que ela se tornou um deus impotente diante dos transtornos da alma humana. Por isso produzimos inúmeros paradoxos.

Vamos tomar o exemplo do avanço da ciência e compará-lo com o conflito judeu-palestino para evidenciar alguns desses paradoxos. Temos explorado o imenso universo e o pequeníssimo átomo, mas judeus e palestinos não têm conseguido explorar o território de suas emoções e remover o lixo que entulha suas almas. Temos desenvolvido tecnologia para falar com pessoas de todos os continentes via satélite, mas judeus e palestinos não conseguem "desarmar-se" para falar dos seus medos, inseguranças, desconfianças, dores.

Cada um só enxerga a sua própria dor, não sabe se colocar no lugar do outro. Não conseguem chorar juntos pelas suas misérias. A ciência aprimorou técnicas para arar a terra, plantar sementes. Por isso produz cereais em abundância, mesmo em terras inférteis. Mas, paradoxalmente, a ciência não produziu técnicas para que os povos em conflito sulcassem o território da emoção, arassem o árido solo de suas memórias e plantassem as mais belas sementes da sensibilidade e da compaixão.

Há mais mistérios entre a razão e a emoção do que supõe nossa vã filosofia. Quando a razão e a emoção não vivem harmoniosamente no mesmo mundo, a lucidez se dissipa. Cada vez que um palestino explode seu corpo num ato terrorista, ele já destruiu previamente seus sentimentos humanos. Com a morte de judeus, Israel revida, e mais seres humanos morrem. Fecha-se, assim, o ciclo da violência. A violência gera a violência.

Eles não compreendem o complexo funcionamento da mente. Os atos violentos produzem zonas de conflito na memória de ambos. A cada ataque e a cada revide, o fenômeno RAM entra em cena e imprime ódio na MUC e na ME.

Quanto vale a vida de um judeu ou de um palestino? Vale mais do que todo o ouro do mundo. Cada um deles, apesar de suas falhas e dificuldades, não é mais um número na multidão, mas um ser especial e insubstituível. Podemos ser substituídos como profissionais, mas nunca como seres humanos. Não há duas pessoas iguais a nós no palco da existência. Todavia, alguns acres de terra e alguns ideais servem de argumento para que a vida valha menos do que nada. Se a vida é colocada em segundo plano, nenhuma negociação, contrato ou reunião diplomática tem eficiência.

O único caminho para judeus e palestinos encontrarem a paz não é se esforçarem para obtê-la, mas reeditarem o filme do inconsciente. Se eles não compreenderem o funcionamento da mente e não reurbanizarem as zonas de conflito na grande cidade da memória, sempre serão golpeados pelo medo, pelo ódio e pela insegurança.

Com o maior respeito, creio que os judeus e palestinos precisam mais de tratamento psicoterapêutico e de técnicas de treinamento para reescreverem suas histórias do que de reuniões diplomáticas. Eles perderam o sentido de espécie. Tornaram-se inimigos mortais. Porém, o pior inimigo de ambos são eles mesmos, é o cárcere do ódio, do medo e da insegurança que tece a colcha de retalhos de suas personalidades.

Sem romper as algemas desse cárcere, as expressões de dor e as lágrimas inexprimíveis de pessoas inocentes de Jerusalém e da região que a cerca continuarão a ser estampadas na imprensa. Mas, se rompê-las, o deserto do Oriente Médio se tornará um jardim onde florescerão as mais belas flores da paz.

Capítulo 8

Não há lembrança: o passado é reconstruído

A angústia de uma brilhante chinesa

As misérias da alma não escolhem nacionalidade nem cultura. Havia uma mulher inteligente, lúcida, extrovertida, que se formou em medicina. Seu nome era Dra. Ling. Fazia da sua profissão uma arte. Importava-se com a dor de cada paciente e tratava-os com grande distinção. Transmitia a eles, mais do que técnicas e conhecimento, empatia e alegria. Ela morava na República Popular da China.

Hoje, a China comunista se modernizou, mas nos seus tempos de menina a Dra. Ling viveu períodos difíceis. Passou por pressões sociais e teve dificuldade para sobreviver. Ela não admitia fracassar e errar. Era hipersensível, não tinha proteção emocional.

Como toda pessoa hipersensível, vivia a dor dos outros, e, quando alguém a criticava ou rejeitava, feria-se profundamente. A Dra. Ling era tolerante com os outros, mas rígida consigo mesma. Como cuidava de todos ao seu redor, mas não sabia proteger sua emoção, adquiriu uma grave síndrome do pânico associada a sintomas físicos e terror noturno.

Foi a diversos médicos chineses para se tratar, mas nada a aliviava. Acordava de madrugada com diversos sintomas psicossomáticos, como aperto no peito, nó na garganta, taquicardia, falta de ar. Suas crises noturnas a atormentavam muito. Por isso era internada frequentemente e ninguém sabia como ajudá-la. Como era médica competente e tinha múltiplos sintomas, os médicos que a atendiam achavam que se tratava de alguma doença orgânica não detectada.

De passagem pelo Brasil, ela me procurou. Ao analisar a sua história, descobri sua hipersensibilidade e dificuldade de filtrar os estímulos estressantes. Percebi que seu "eu" era um espectador passivo diante das suas crises de ansiedade. A Dra. Ling vivia na masmorra do medo. A cada crise, ela se infiltrava mais nesse calabouço, pois expandia as favelas de sua memória, poluía seus rios emocionais, esburacava as avenidas da sua inteligência.

A língua era uma barreira entre mim e ela, pois não falo chinês. Mas, mesmo assim, resolvemos nos aventurar no labirinto da comunicação. Através de um intérprete muito atencioso, expliquei os papéis da memória.

Depois de fazê-la compreender as causas de sua doença e alguns mecanismos do funcionamento da mente, estimulei-a a resgatar a liderança do "eu". Encorajei-a a refletir sobre o domínio da emoção sobre sua razão e deixar de ser passiva diante das suas crises.

Expliquei a técnica do DCD e pedi-lhe que desafiasse seus sintomas e sua fragilidade e confrontasse com o medo da morte e com o medo de ter medo. Disse-lhe que ela só poderia tornar-se livre se causasse uma revolução nos porões do seu inconsciente. Prescrevi-lhe um antidepressivo, nada diferente do que já havia tomado.

O resultado inicial foi fascinante. Essa mulher brilhante que vivia sendo internada e que não conhecia dias tranquilos voltou a ter paz. Começou a reescrever seu passado e a resgatar sua autoconfiança. Porém, ainda há um longo caminho a ser percorrido. Se ela persistir, será livre no terreno do seu inconsciente e saudável emocionalmente.

Quando um conflito deixa de nos pilotar e começamos a assumir as rédeas de nosso ser, a vida ganha um novo sentido. Não seja um passageiro de sua vida, pilote-a sem medo. Nunca se esqueça de que o pior medo é o medo do medo, é o medo de enfrentar seus conflitos secretos.

Se negarmos ou tentarmos fugir de nossa depressão, ansiedade, pânico, bloqueios, inseguranças, timidez, eles se tornam insuperáveis. Mas se os enfrentarmos e partirmos para o confronto, os grandes obstáculos se transformam em pequenas barreiras. Deixamos de ser espectadores dos conflitos existentes no palco de nossa mente e passamos a ser diretores do *script* de nossas vidas.

Deixar a plateia para estar no palco faz uma enorme diferença. Muitos não conseguem passar de espectadores das suas misérias. Eles precisam dar um choque emocional em sua passividade.

Não há lembrança, mas reconstrução do passado

A história da Dra. Ling revela um complexo papel do "eu" diante da nossa história arquivada na memória. *Não existe lembrança do passado, mas reconstrução desse passado.*

Todo mundo pensa que existe lembrança das experiências vividas ao longo da vida. A educação jura que existe lembrança, e por isso faz provas escolares para que os alunos se lembrem das informações dadas em sala de aula ou decoradas dos livros. Mas não existe lembrança pura.

As informações são arquivadas no córtex cerebral em forma de códigos. No processo de arquivamento, as informações perdem o conteúdo da energia psíquica da alegria, tristeza, solidão, hesitação, medo, ansiedade, e se armazenam em forma de sistema de códigos "frios". Elas tornam-se como um quadro que representa uma paisagem real com lago, montanhas e árvores. O quadro parece que é a própria paisagem, mas a rigor não contém lago, montanhas, nem árvore alguma, apenas códigos desenhados pela tinta.

Quando resgatamos o código das experiências do passado, elas deixam de ser códigos e se tornam novamente energia psíquica. No entanto, o conteúdo emocional desse resgate, ainda que tenha relação com o passado, será diferente dele. Essa afirmação quebra uma das maiores crenças que existe na história humana e na psicologia, na educação e em outras ciências. Não resgatamos nunca o passado, reconstruímos o passado.

Procure recordar um dia muito triste da sua vida. Se a recordação fosse uma lembrança pura, você teria que viver os mesmos pensamentos e a mesma carga de ansiedade e angústia que viveu naquele dia. Mas, repito, a recordação é uma reconstrução do passado e não uma lembrança do passado. Tal conclusão tem sérias implicações para todas as ciências, incluindo a psiquiatria, a sociologia, as ciências políticas. Entretanto, não é o objetivo deste livro entrar nessa arena de ideias.

Observe bem um quadro de pintura numa sala, depois vá para outra sala e tente reproduzi-lo. O quadro que você vai pintar terá sempre cores e formas diferentes do original. O mesmo ocorre quando resgatamos o passado: sempre acrescentamos novas cores e formas distintas.

Um professor de história nunca dá uma aula pura de história, mas sim a sua versão da história. Se sua versão for doentia, ela distorce a história e prejudica a crítica dos alunos. Por isso é importantíssimo fazer com que os alunos saibam que não são apenas um depósito de informações. O grande problema da educação no mundo todo é que os alunos estão se tornando repetidores de informações e não pensadores capazes de refletir sobre elas, criticá-las, reelaborá-las para criar novas ideias.

A reconstrução do passado gera mecanismos de superação

No campo da psicologia, a reconstrução do passado pode trazer mecanismos importantes de superação inconsciente. Como um trabalhador supera a perda de um emprego? Como uma pessoa supera a perda de sua honra? Como superamos a perda de um ser amado?

De duas maneiras: a primeira é pela intervenção do "eu" trabalhando a perda e dando a ela um outro significado. Essa é a maneira mais inteligente, mas menos usada. A segunda é através do tempo, ou seja, a recordação contínua do passado acrescenta inconscientemente novos elementos ao passado, que vai sendo registrado e mudando a "paisagem da memória". Desse modo, a dor da perda vai diminuindo.

Uma mãe que perde um filho, ainda que sua saudade nunca seja resolvida, vai ao longo dos meses e anos diminuindo a dor da perda. Ela reconstrói milhares de vezes o momento da perda e acrescenta pensamentos ligados a Deus e à existência. Assim, paulatinamente, vai reeditando o filme do inconsciente e diminui a sua dor. Por isso o tempo cura as feridas da alma.

Em alguns casos, a recordação do passado pode piorar a dor da perda, sendo capaz de levar uma pessoa a desenvolver depressão. Por que isso ocorre? Porque os elementos acrescentados na reconstrução do passado geram pensamentos negativos que expandem a dor.

O caso da Dra. Ling é bem típico dessa situação. A cada ataque de pânico, ela lia em frações de segundos a sua memória, recordava o passado, compreendia que seu problema não estava tendo solução e, com isso, acrescentava novos pensamentos angustiantes à fogueira do seu pânico. Sua emoção se tornava um caldeirão borbulhante de ansiedade. Toda essa ansiedade era registrada, gerando mais favelas ou zonas de tensão na complexa cidade de sua memória. Se ela não se tratasse, talvez não viesse mais a exercer a profissão de médica, nem a conviver socialmente. Por isso, algumas pessoas que têm síndrome de pânico desenvolvem fobia social e se isolam do mundo.

A civilização humana evoluiu pela reconstrução inconsciente do passado

Todos os dias, quando recordamos o passado, não nos lembramos puramente dele, mas sempre diminuímos ou acrescentamos algo a ele. Há milênios, filósofos, intelectuais, poetas, teólogos creem que a memória tem a função de lembrar-se do passado. A memória é especialista em recriar o passado, e não em acessá-lo exatamente como ele é, como o fazem os computadores. A memória prepara o homem para ser um engenheiro de novas ideias e não um repetidor de informações.

A evolução nas artes e na ciência dependeu desse processo inconsciente. Claro que pelo fato de o homem pesquisar, experimentar e criar conscientemente ele foi agente dessa evolução, mas o processo inconsciente foi de fundamental colaboração. Toda vez que recorda o passado você acrescenta algo a ele e o faz evoluir. O presente é sempre um passado modificado.

Excetuando as informações lógicas, como endereços de residência, números telefônicos, fórmulas matemáticas, que são lembradas de maneira quase pura, os outros bilhões de informações que tecem a nossa história e que envolvem qualquer tipo de emoção e consciência social são resgatados com cores e sabores do presente. O estado de estresse, o ambiente social, a cultura, a capacidade de pensar e a emoção que estamos sentindo num determinado momento interferem na leitura da memória e na reconstrução do passado.

Quantos pensamentos você produziu na semana passada? No mínimo, dezenas de milhares. Agora tente se lembrar de um deles com exatidão, ou seja, com a cadeia perfeitamente igual à que produziu, com pronome, verbo e substantivos específicos.

Talvez você não se lembre de nenhum. Mas tente reconstruí--los levando em consideração o ambiente, as circunstâncias e os personagens com os quais se relacionou. Talvez reproduza milhares de pensamentos, mas não exatamente o que você pensou. Esse simples exercício confirma a minha tese. Não existe lembrança do passado, mas uma recriação magnífica dele.

A personalidade não para de evoluir

O processo que estou comentando revela que a personalidade está sempre em processo de formação, até no último estágio da velhice. Quando você reconstrói o passado, registra-o novamente, muda as matrizes da memória e sua personalidade evolui. Quando distorcemos intencionalmente o passado, essa distorção é doentia. Mas as distorções espontâneas que ocorrem nas recordações do passado são inevitáveis e até necessárias.

Não se aborreça quando seu filho, esposa, marido ou parceiro de trabalho distorcer as palavras e comportamentos que você expressou dias ou meses atrás. Poupe energia. Evite se defender excessivamente. Argumente com suas ideias, mas respeite as microdistorções que ocorrerem. Tenha sempre em mente que você também não se lembra do passado dos outros de maneira pura. Você o reconstrói.

Se você quer que os outros sejam completamente justos e exatos em seus julgamentos, é melhor conviver com os computadores. Viver é a arte da tolerância. Se você quiser conviver com pessoas perfeitas, é melhor despedir-se do seu emprego, dizer adeus à sua família e se isolar do mundo.

Perceber a mudança faz a diferença

Hem era insubstituível como ser humano, pois não existe outra pessoa igual a ninguém no universo. Mas, como profissional, era uma pessoa substituível. Se não se reciclasse, não expandisse sua inteligência e não fosse treinado para sair do seu cárcere emocional, para caminhar no labirinto de sua empresa, seria despedido. Ele era lento para perceber os problemas à sua volta.

Sniff e Scurry, apesar de suas limitações, se tornaram excelentes funcionários. Eles não trabalhavam apenas por causa do salário no final do mês, mas porque amavam o que faziam. Quem ama o que faz rejuvenesce a sua emoção e expande seu desempenho intelectual. Quem olha continuamente o relógio para ver se chegou o final do expediente ou manuseia o calendário para procurar ansiosamente os feriados anuais não tem prazer de trabalhar. Seu trabalho virou um deserto árido.

Sniff e Scurry detestavam o orgulho tolo e a arrogância. Eles usavam sua mente como uma fonte criadora. Apesar de suas limitações, eram engenheiros de novas ideias. Antes de todos os seus colegas de trabalho, percebiam os problemas que surgiam na empresa e procuravam encontrar soluções para eles. *Você consegue perceber os problemas na sua empresa antes de seus colegas?*

Para os dois, a arte de aprender é eterna e exercer a profissão é trabalhar num belo e excitante campo de flores, ainda que sejam feridos com alguns espinhos. *Você trabalha num deserto ou num jardim?* Se você trabalha num deserto é melhor procurar urgente um oásis, caso contrário não sobreviverá.

Haw, tal como Hem, era uma pessoa acomodada, pacata e com medo de correr riscos para executar seus sonhos. Sua memória estava saturada de zonas doentias que o impediam de caminhar, ser livre, criar, ousar, conquistar. Mas, como veremos, um dia ele deu uma guinada na vida. Como? Transformou um ponto final numa vírgula e, com isso, ganhou um novo capítulo na sua história. Muitos colocam um ponto final na sua capacidade intelectual, ousadia e criatividade. Não conseguem mais avançar. *Será que você não está precisando reciclar sua vida e colocar vírgulas em alguns pontos finais?*

Haw mudou porque percebeu que trabalhava desmotivado e sem prazer. Seu emprego estava desmoronando. Seus colegas mais jovens ganhavam terreno. Ele se sentia ameaçado e lento demais para acompanhar as mudanças do mundo globalizado. Deu-se conta de que ou mudava ou perdia espaço.

Não foi uma tarefa fácil, mas provocou uma revolução na sua capacidade de pensar. Ele começou a desobstruir sua inteligência e usar sua mente criadora. À medida que avançava, ele surpreendeu a si mesmo. Ficou pasmo com a capacidade intelectual que tinha e que estava represada. Como Haw mudou? Comentarei passo a passo essa mudança num capítulo adiante.

A mudança de Haw foi tão grande que deixou a todos boquiabertos. Mudou tanto que, de chefe de serviço, passou a gerente de sua empresa. Depois de muita labuta, tornou-se diretor. Por último, após árdua e prazerosa caminhada no labirinto da empresa, tornou-se presidente. Sob seu comando, a empresa ganhou uma filosofia sólida e cresceu muito. Aumentou a força de trabalho, passando de cem para milhares de funcionários.

O grande desafio em tempos globalizados, quando as informações dobram a cada dez anos, não é produzir homens lógicos abarrotados de informações, pois eles serão substituídos pelos computadores. O desafio é produzir engenheiros de ideias, homens criativos, intuitivos, que saibam pensar.

Grande parte das ideias mais importantes na ciência foi produzida por pensadores que eram livres dentro de si. Livres para pensar, criticar, discutir seus pensamentos. Livres para caminhar nos labirintos do seu próprio ser. Não queira que seus filhos, alunos ou funcionários sigam ordens como robôs. Faça com que desenvolvam liberdade para pensar. Se você não é capaz de estimular os outros a pensar, então é melhor reciclar seriamente sua liderança ou passar o bastão dessa liderança a outros.

Capítulo 9

O fascinante mundo das ideias

Despedido por ser um bom funcionário...

Lucas era um bom funcionário. Responsável, não faltava ao serviço, não causava problemas para os seus colegas e fazia tudo exatamente como lhe pediam. Não conseguia aquietar seus pensamentos, sua concentração e motivação não eram satisfatórias. Vivia reclamando para sua esposa e seus íntimos que se sentia estafado. Apesar disso, cumpria com suas obrigações e ninguém tinha o que reclamar dele.

Vivia com medo de ser despedido. Por isso, fazia questão de não contrariar ninguém nem dar opiniões que entrassem em choque com a linha de pensamento dos seus superiores. Sua empresa era um labirinto perigoso para ele. Sentia-se travado e não usava sua energia intelectual para contribuir com soluções para os problemas da companhia. Gastava mal sua preciosa energia psíquica, usava-a para dar vazão às suas inseguranças e preocupações.

Um dia, inesperadamente, recebeu uma carta de demissão. Ficou profundamente chocado. Não acreditava no que estava acontecendo. Angustiado, procurou a área de recursos humanos e questionou o motivo do seu desligamento. Foi a primeira vez que expressou abertamente suas ideias. Disse que não faltava ao serviço, sempre cumpria todas as tarefas que lhe solicitavam, sempre executara as ordens de seus superiores e, por isso, achava injusto ser despedido. Concluindo, indagou: "Qual o motivo de minha demissão se sou um bom funcionário?"

A resposta foi contundente: "Nós o estamos despedindo exatamente por essas qualidades que você apontou. Você é um bom funcionário, mas a empresa precisa de funcionários excelentes."

Chocado, replicou: "Qual é a diferença?" A resposta ecoou na sua alma como um torpedo: "Um bom funcionário faz tudo o que lhe pedem, um excelente funcionário faz além do que lhe pedem. Um bom funcionário corrige erros, um excelente funcionário previne-os. Um bom funcionário executa ordens, um excelente funcionário pensa pela empresa, é criativo e traz soluções antes de lhe apontarem os problemas."

Ele sabia que era um bom funcionário, mas estava a milhas de ser um excelente funcionário. Sabia que o que o movia a trabalhar era apenas o pró-labore no final do mês, sentia que não era uma pessoa comprometida com o futuro de sua empresa.

Lucas foi tragado pelos desafios e exigências de um mercado altamente competitivo. Sua empresa precisa de excelentes funcionários, não por ser rigorosa, mas simplesmente porque precisa sobreviver. Os tempos mudaram, é necessário ter prazer de trabalhar e aprender a pensar como uma grande equipe. A liderança precisa ser preventiva e não curativa, precisa se antecipar aos problemas e não resolvê-los quando eles aparecem.

O tempo dos líderes ditadores ou engessados já passou. A liderança só é preventiva quando todos aprendem a ser líderes em cada espaço que ocupam, quando todos aprendem a se comprometer e discutir ideias sem medo. Lucas vivia no pequeno mundo das suas tarefas. Preferia se calar a arriscar a pensar nas coisas que ultrapassavam a sua rotina. Nunca contribuiu com os outros para aprimorar seu trabalho e detestava que alguém opinasse no seu serviço.

Era o mais culto de todos os seus colegas de trabalho. Dava-se muito bem com os livros, mas não entendia de gestão de pessoas, não sabia trabalhar em equipe, não suportava pressões, nem sabia viver fora da sua rotina.

Se trabalhasse num emprego em que tivesse estabilidade, se aposentaria nele. Mas, como trabalhava num mercado em que a concorrência era grande, foi alijado de sua empresa. Ficou profundamente magoado ao ser despedido.

Tinha tecnofobia, medo de novas técnicas, mas nunca procurou resolvê-la. Agora não tinha escolha: se não se reciclasse, não conseguiria novo emprego. E se não fosse criativo e participativo, não permaneceria por muito tempo nesse novo emprego.

Poderia ser mais uma pessoa prostrada diante de sua derrota. Mas deu a volta por cima, saiu para o labirinto. O fracasso produziu um gosto amargo e quase insuportável, mas funcionou como um excelente remédio. Usou sua frustração não para expandir sua derrota, mas para lutar pelos seus sonhos e se tornar um profissional criativo, inteligente, versátil, decidido, destemido, comprometido.

Nunca mais foi passivo. Começou a se destacar em todos os ambientes que frequentava, inclusive o familiar e social. Por quê? Porque perdeu o medo de pensar e de expor suas ideias. Você, leitor, deve estar se perguntando: como se deu essa mudança? Da mesma forma como se deu a mudança de Haw de que tratarei daqui a pouco. Antes, porém, acho necessário passar mais alguns conceitos para você.

Pensar é o destino do homem

A construção de pensamentos é multifocal. É multifocal porque é construída por múltiplos fenômenos que leem a memória. Construir pensamentos é mais complexo do que formar uma estrela no universo. Não nos damos conta do misterioso mundo das ideias. Não percebemos como é fantástico entrarmos em milésimos de segundos no escuro da memória e resgatarmos as informações para tecer uma cadeia de pensamento. Somos uma espécie magnífica. Como já expressei, nunca fomos diferentes no funcionamento da mente por sermos negros, brancos, amarelos, judeus, palestinos, ricos, pobres, intelectuais, iletrados. Por isso toda discriminação é estúpida.

Recentemente dei uma palestra em que disse que cada ser humano é uma caixa de segredos a ser explorada. Quantos sonhos, lágrimas, dores, momentos felizes e tristes não habitam nos solos da memória de cada um de nós? Se formos garimpeiros da psicologia, podemos encontrar ouro em cada ser humano. Para isso, precisamos penetrar além da cortina dos comportamentos das pessoas e enxergar o mundo dos pensamentos e das emoções. Aqui vou fazer um comentário sobre a construção dos pensamentos e elucidar um ponto importantíssimo e obscuro na ciência.

Não é só o "eu" que produz pensamentos, como até hoje a psicologia pensava. Existem outros fenômenos nos bastidores de nossa mente que produzem milhares de pensamentos. Quantos pensamentos negativos e obsessivos desejaríamos não produzir, mas produzimos? Pensamos não apenas porque queremos pensar, mas porque é inevitável.

Pensar é o destino do homem. Todo homem viaja no mundo das ideias. Os juízes viajam enquanto julgam os réus, os psicoterapeutas enquanto atendem os pacientes, as crianças enquanto brincam, os idosos enquanto reconstroem o passado. Às vezes viajamos tanto que não prestamos atenção em nada do que as pessoas estão nos falando.

Qual é a maior fonte de entretenimento do homem? É o sexo, o esporte, a música, a literatura, a TV ou a internet? Nenhuma delas! É o mundo das ideias produzido no palco de sua mente. Através delas ele sonha, trafega no tempo, traça planos, projeta metas, pensa nas coisas que ama. Atualmente, no entanto, essa fonte que deveria ser de prazer tem se tornado a maior fonte de terror.

Por quê? Porque o volume de pensamentos negativos, de preocupações existenciais, de inquietações sobre os problemas futuros tem sido altíssimo. O homem moderno se tornou um especialista em fazer o velório antes do tempo. Os problemas ainda não ocorreram, mas ele já chora no funeral. *Quantas vezes você sofre ou se perturba vivendo pensamentos por antecipação?* Temos uma mente brilhante capaz de nos fazer sonhar com os oásis, mas preferimos pensar nas dunas de areias dos desertos.

Somos uma espécie fascinante por termos o privilégio de pensar, mas esse privilégio trouxe-nos diversos problemas. Sofremos por coisas irreais, por coisas que não aconteceram e talvez nunca aconteçam. Mais de 90% das nossas preocupações não ocorrerão, embora nos aflijamos por elas.

Quem controla todos os pensamentos que se passam no mundo de sua mente? Construímos pensamentos absurdos que nem temos coragem de verbalizar. Nem os grandes homens ficaram livres de conflitos em suas vidas. Muitos pensadores na filosofia e nas ciências viveram crises emocionais e existenciais. Muitos produziram pinturas, esculturas, peças literárias, textos filosóficos e pesquisas científicas, como tentativa de superação da angústia que os abatia.

A síndrome SPA

Podemos planejar, prever, recuar, refletir, definir, nos doar, amar e ter consciência de que existimos e de que somos um ser exclusivo entre bilhões de pessoas. Pensar é um grande espetáculo. Todavia, muitos não sabem, incluindo profissionais de saúde mental, que a velocidade do pensamento está ligada diretamente à saúde psíquica. O pensamento lento leva as pessoas a serem inertes, passivas, mas o pensamento acelerado produz uma ansiedade doentia.

Ao longo de minhas pesquisas, descobri uma importante síndrome ligada à velocidade exagerada de construção do pensamento e que está atingindo grande parte da população mundial, principalmente os habitantes das sociedades modernas. Dei-lhe o nome de síndrome SPA: *síndrome do pensamento acelerado*.

Essa síndrome produz diversos sintomas, como irritabilidade, insatisfação existencial, dificuldade de concentração, déficit de memória, fadiga excessiva, sono alterado, dificuldade de extrair prazer nos estímulos da rotina diária, flutuação emocional excessiva.

A velocidade média de construção de pensamentos do homem moderno aumentou assustadoramente e muitos cientistas não perceberam esse fenômeno. Por que houve esse aumento?

Por causa das pressões sociais, das preocupações cotidianas, da competição no trabalho e principalmente pelo excesso de informações não organizadas que nos vêm de todos os ambientes sociais, como as escolas, a TV, os jornais.

Uma criança de sete anos recebe mais informações do que um ser humano médio adquiria durante setenta anos nos séculos passados. Uma edição de um jornal periódico, como a *Folha de São Paulo* ou o *New York Times*, contém mais informações do que uma pessoa comum poderia incorporar durante toda a sua existência há dois ou três séculos.

Bilhões de novas informações são produzidas anualmente. Precisaríamos de mil anos para assimilar o que se produz em um dia no mundo. O bombardeamento de informações na memória de uso contínuo, MUC, conduziu a uma estimulação excessiva dos fenômenos que leem essas informações, gerando um aumento expressivo da velocidade de construção de pensamentos, fechando assim o ciclo da síndrome SPA.

Em minhas conferências, costumo perguntar para os meus ouvintes se eles estão com déficit de memória e fadiga excessiva. Grande parte das pessoas levanta as mãos afirmando que sim. Por que estão esquecidas e fatigadas? Devido ao roubo de energia produzido pelo excesso do pensamento. Quem pensa muito e com ansiedade gasta energia vital do organismo. Por isso as pessoas acordam fatigadas, como se estivessem carregando uma tonelada de peso sobre o corpo.

E o esquecimento, como surge? O mecanismo é o seguinte: o cérebro tem mais juízo do que nós. Por isso, bloqueia a memória para que pensemos menos e gastemos menos energia. Como muitos médicos não conhecem os papéis da memória, pedem uma série de exames desnecessários e prescrevem uma série de medicamentos ineficazes. Eles não entendem que o cérebro do paciente o está protegendo.

A falta de concentração é, na realidade, um sintoma da síndrome do pensamento acelerado. Quem pensa excessivamente não se concentra e consequentemente registra mal e recorda de forma deficiente.

A maioria das pessoas que desenvolvem um importante trabalho intelectual – executivos, escritores, jornalistas, profissionais liberais – tem a síndrome SPA. Os melhores profissionais são vítimas dessa síndrome. Eles possuem excesso de responsabilidade, se doam mais para a empresa do que os próprios donos, mas não sabem aquietar seus pensamentos. São excelentes para ganhar dinheiro, mas péssimos para conquistar tranquilidade e investir em si mesmos.

A quem quiser conhecer mais sobre a síndrome SPA, o gerenciamento dos pensamentos e a educação da emoção, recomendo meu livro *Treinando a Emoção para Ser Feliz*. Se você dorme mal, acorda sentindo cansaço, se irrita com frequência, esquece-se frequentemente, não tem concentração, é hora de repensar seu estilo de vida. A síndrome SPA reflete seu profundo estresse.

O que fazer? Você precisa sair do discurso e ter coragem para repensar a sua vida. Ninguém pode fazer isso por você. É uma pena que muitos só pensem em mudar seu estilo de vida quando estão enfartados, com cirrose, com câncer, aposentados ou prestes a se despedirem do espetáculo da vida. Hoje é o momento de mudar.

Hem, Haw e a síndrome SPA

Vamos voltar então a nossos personagens para compreender melhor esses mecanismos. Hem desenvolveu a síndrome SPA. Sua mente não desligava nem descansava. Sua emoção não era estável nem contemplativa. Quando estava no labirinto e percebeu que seu estoque de Queijo tinha acabado, a síndrome SPA se exacerbou. Ele ficou com ideia fixa da falta de Queijo. Sentia-se um infeliz e estava indignado com sua perda. Não gastava sua energia para procurar alternativas.

Quantas vezes você gasta tempo lamentando o que já perdeu e não usa sua energia para conquistar aquilo que está à sua frente? É mais agradável gastar energia encontrando soluções do que lamentando perdas. É mais suave gastar energia conquistando pessoas do que se atormentando com raiva delas.

O pensamento de Hem estava acelerado, sua concentração, péssima, sua emoção, ansiosa. Pensar que teria de caminhar no labirinto e romper sua rotina aumentava a temperatura da sua tensão. Diante disso, desenvolvia diversos sintomas psicossomáticos, como náuseas, dores de cabeça, dores musculares.

Haw, ao detectar que o estoque de Queijo se esgotara, também exacerbou sua SPA, ficando temporariamente mal-humorado e irritado. Mas pouco a pouco desacelerou seu pensamento e usou suas energias para tomar atitudes produtivas.

Sniff e Scurry também desenvolveram a síndrome SPA. Eram agitados, mas aprenderam a canalizar sua ansiedade para ir ao encontro de seus sonhos. É impossível não termos alguns momentos de ansiedade. A ansiedade só é doentia quando ela trava nossa inteligência e nos impede de caminhar. Existe uma ansiedade positiva, que nos estimula a lutar por nossas metas e a não desistir dos nossos sonhos.

Muitos querem o perfume das flores, mas não querem sujar suas mãos para cultivá-las. Muitos querem um lugar no pódio, mas desprezam a labuta dos treinos.

Capítulo 10

As janelas da memória e o gatilho que abre os arquivos

Uma inteligência brilhante que tirava zero nas provas

João Paulo era um jovem de origem simples, morava numa cidade pequena, seus pais tinham um acanhado comércio e sua mãe trabalhava em casa. Sempre fora um aluno brilhante. Assimilava com eficiência as informações. Era dedicado e recebia elogios dos professores e amigos pelas notas que tirava.

João Paulo sonhava em ser médico e desejava entrar numa universidade pública. Almejava aliviar a dor das pessoas e ser útil socialmente. Sua voz vibrava quando falava que seria um estudante de medicina. Seu sonho controlava sua emoção e o motivava a estudar várias horas por dia. Quando os sonhos se tornam uma meta, eles disciplinam o caráter e transformam a passividade em garra.

O concurso era difícil, havia mais de cem candidatos para uma vaga. Mas seu desejo de vencer estimulava-o a melhorar sua concentração para compreender e armazenar as informações. Estudou muito. Como estava seguro e determinado, conseguiu ter um excelente desempenho no vestibular. A segurança abre as janelas da memória e a insegurança as fecha.

O resultado da prova foi altamente positivo. João Paulo foi bem classificado e conseguiu uma vaga. Saltitava como a pessoa mais feliz do mundo. Os amigos fizeram festas. Seus pais não se continham de alegria. Estavam orgulhosos de um filho que, sem ter estudado em boas escolas, conseguira entrar numa faculdade pública de medicina, considerada uma das melhores da América Latina.

No primeiro ano, ele saiu-se muito bem. Tudo parecia belo aos seus olhos. Penetrava no corpo humano, descobria cada órgão e entendia suas misteriosas funções com grande entusiasmo. Estudava a microbiologia celular e descobria um mundo dentro de cada célula. A medicina simplesmente o encantava. Mas seu sonho se transformou em pesadelo.

Certa vez, estudou muito para uma prova, sabendo que precisava tirar uma boa nota e que o professor da matéria não gostava muito dele, pois haviam tido uma pequena discussão. No dia da prova, o excesso de ansiedade travou a sua inteligência, fechando as janelas de sua memória e impedindo-o de recordar o que havia estudado. Ao invés de procurar superar o fato, ficou profundamente perturbado. Não entendia como não conseguira responder coisas que sabia.

Começou a ter medo de que o bloqueio pudesse se repetir em outras provas. E ele se repetiu. Estudava muito, mas, na hora mesmo, recordava do fracasso anterior e ficava ansioso. Essa ansiedade conspirava contra a sua inteligência, bloqueava sua memória. Assim, começou a ter um desempenho negativo na maioria das provas.

O jovem João Paulo começou a ficar preocupado. Passou a questionar sua capacidade intelectual. O fracasso de cada uma das provas era registrado privilegiadamente em sua memória, gerando zonas de tensão doentias, que obstruíam sua capacidade de pensar quando estava diante de novas provas. Assim, criou-se um círculo vicioso. Fazer as provas deixou de ser um simples atestado dos seus conhecimentos e se tornou uma fonte de medo e angústia.

Fora das provas, tinha uma excelente capacidade de assimilar e discutir informações, mas diante delas detonava um gatilho que fechava as janelas da memória, travando completamente sua inteligência. Os professores de medicina e de psicologia não compreendiam o que estava ocorrendo com ele. Por não conhecerem os papéis da memória, eles o criticavam e mediam seu conhecimento pelas pobres e restritas provas escolares.

Infelizmente, ele foi reprovado no segundo ano. No terceiro, o seu drama se repetiu e ampliou. Estudava muito e, como sabia bem a matéria, ensinava aos seus colegas de classe. Mas, quando estava diante das provas, ficava tão tenso que não conseguia raciocinar.

Os professores começaram a taxá-lo de preguiçoso e irresponsável. Como estava inibido e se sentia inferiorizado, João Paulo não conseguia conversar com eles para desfazer seu preconceito. Viveu mais um ano desesperador no seu calendário. Foi reprovado novamente.

Nos anos posteriores, sua agonia aumentou. Os fracassos se sucederam. Raramente um dos seus mestres o procurava para perguntar o que habitava sua alma. Os que perguntavam não conheciam os papéis da memória, não entendiam que a memória abre e fecha as suas janelas dependendo dos focos de tensão em que uma pessoa se encontra. Não sabiam que pessoas brilhantes podem ofuscar o brilho da inteligência se não souberem transitar no labirinto da emoção.

Infelizmente, ainda hoje, muitos médicos e profissionais de saúde mental não compreendem por que a memória é bloqueada por uma crise de ansiedade. Desconhecem que o motivo é que o cérebro entende que a vida de uma pessoa que está ansiosa se encontra em perigo. Ele fecha os arquivos, retrai a capacidade de pensar e conduz a pessoa a reagir por instinto para fugir ou lutar contra um inimigo. Mas não estamos numa selva, sob o risco de sermos comidos por um leão ou picados por uma cobra. Criamos inimigos mortais em nossa mente, mas são inimigos virtuais. *Quantos inimigos você tem cultivado em sua vida? Quantas situações ou pessoas perturbam a sua alma?*

O bloqueio da memória é uma proteção ruim, mas é uma proteção. As provas escolares se tornaram um inimigo mortal para João Paulo. Como ele não resolvia seu conflito, os mecanismos de proteção eram continuamente acionados. Eles fechavam o paraíso da memória consciente e abriam o filme de terror da memória inconsciente.

O jovem sonhador começou a ser reprovado ano após ano. Seus colegas de escola não entendiam o que ocorria com ele. Depois de sete anos reprovado, João Paulo finalmente foi jubilado, expulso da universidade. A faculdade de medicina, que era um canteiro de ciência, se tornou um canteiro de injustiça. Jubilaram um jovem sem penetrar-lhe na alma, sem compreender os obstáculos que obstruíam sua inteligência, sem ajudá-lo a superar seus conflitos.

João Paulo me procurou com essa história. Estava profundamente triste, deprimido, abatido, sem ânimo para viver e continuar caminhando pelos labirintos de sua vida. Após analisar sua história, percebi que ele tinha uma excelente organização de pensamento. Era de fato uma pessoa inteligente. Trouxe-me várias poesias que havia feito. Todas elas tinham fineza literária, destilavam sabedoria.

Precisava encorajá-lo e conduzi-lo a transformar seu fracasso em belas lições de vida. Então, levei-o a compreender o funcionamento da mente e os papéis da memória, exatamente como estou fazendo com cada leitor neste livro. Percebi que ele entendia tudo e com facilidade. Pouco a pouco, uma luz brilhou no cerne da sua inteligência, pois entendeu que o cárcere do medo obstrui os arquivos da memória e compromete a arte de pensar. Deu um salto em seu tratamento. Hoje ele é uma pessoa segura que está traçando projetos profissionais. Entre eles deseja ser escritor, no que recebeu meu incentivo.

Se João Paulo tivesse compreendido esse processo quando cursava sua faculdade, teria aplicado a técnica do DCD. Teria *duvida-*

do de sua incapacidade, *criticado* seu medo e *determinado* pensar com liberdade. Desse modo, romperia as algemas que aprisionavam a sua inteligência. Consequentemente, teria caminhado com segurança nos labirintos dessa magnífica profissão que é a medicina. Mas foi derrotado. Porém, sua derrota não foi em vão, pois aprendeu a usar as suas lágrimas para irrigar sua sabedoria.

Os homens inteligentes usam seus fracassos para lapidar a sua emoção. Quando as pessoas passam pelo caos da depressão, da ansiedade, das perdas, dos fracassos, e os superam, elas se tornam mais ricas, belas e experientes.

O gatilho e as janelas da memória: as armadilhas da inteligência

A história de João Paulo revela dois outros importantíssimos papéis da memória. O primeiro é que *a memória humana está disponível para ser lida por área, e cada área é chamada de janela da memória*. O segundo é que *quem abre as janelas da memória diante de um estímulo é o gatilho da memória*.

Existem estímulos internos, como as ideias, as fantasias, as expectativas, as emoções, e estímulos externos, como um ambiente, a imagem de uma pessoa, de um inseto ou outro animal. Esses estímulos detonam o gatilho da memória que fecha ou abre suas janelas ou arquivos. Se os estímulos forem negativos e gerarem tensões, eles terão grande chance de fechar os arquivos. Se forem positivos e expandirem a alegria e a tranquilidade, abrirão os arquivos.

Uma pessoa pode ter um excelente apetite, mas, se no ato de comer, pensar na imagem de um animal que lhe provoca nojo, seu apetite é bloqueado. Uma pessoa que tem anorexia nervosa, ao pensar que está obesa, mesmo que esteja magérrima, bloqueia seu apetite. Ela só vai resolver sua anorexia se reeditar sua memória, se reescrever as imagens doentias que tem do seu corpo e do padrão insano de beleza da mídia.

Por que um esportista pode ter um ótimo desempenho nos treinos, mas um péssimo desempenho no exato momento da corrida ou do jogo? Por que uma pessoa flui livremente seus pensamentos quando está sozinha ou diante dos íntimos, mas tem grande dificuldade de expressar suas ideias diante do público? Porque a ansiedade e todos seus filhos, como o medo, o desespero, o receio da derrota e de ser alvo de chacota, inibem a inteligência. A famosa expressão "deu branco" nada mais é do que o fechamento das janelas da memória pela carga de tensão.

Em meus treinamentos de laboratórios de comunicação e gerenciamento dos pensamentos, tenho comentado com as pessoas que, para falar em público, não basta estar bem preparado, olhar nos olhos dos ouvintes, expressar um tom de voz seguro e ancorar-se em sua memória. É preciso também gerenciar a emoção e não ter medo de falhar. Por favor, gravem isso: *o medo da falha propicia a falha, o medo do fracasso acelera o fracasso. A emoção é a grande libertadora ou a grande vilã da inteligência.*

Muitos homens vivem presos no labirinto sexual. Eles têm uma sexualidade normal, mas se, no ato sexual, ficarem pensando que vão falhar, fecharão as janelas do prazer, perderão a concentração na relação e não conseguirão manter a ereção adequada para ejacular. Muitos estão tomando Viagra por problemas psicológicos, e não físicos.

Do mesmo modo, muitas mulheres não conseguem chegar ao orgasmo, não por terem problemas sexuais, mas por causa de pensamentos perversos que perturbam sua concentração no ato sexual. Esses pensamentos podem estar ligados a mágoas do parceiro, preocupação excessiva em agradá-lo, sentimento de incapacidade, inquietações sociais, repressão durante a infância e adolescência, censura causada por uma educação mais rígida. Tais pensamentos detonam o gatilho da memória e bloqueiam os arquivos do prazer.

O fascinante mundo da mente humana

Engana-se quem pensa que tem acesso a todos os campos de sua memória em cada momento que vive. Não somos livres para lermos o que quisermos na hora que quisermos. Se fosse assim, todas as pessoas que prestam concursos e estudam tirariam nota dez. A memória se abre por janelas. O grande desafio é ter uma emoção tranquila e autoconfiante capaz de nos permitir abrir o maior número possível de janelas sobre um assunto, situação ou pessoa.

Quando você vê uma flor, um quadro de pintura ou uma cadeira, você não precisa procurar na sua memória o significado de cada objeto, pois o gatilho da memória abre, de acordo com o estímulo, a janela específica relacionada a ele. A definição do objeto é automática, pois a abertura da janela da memória que contém as informações também é automática.

Quando estamos dialogando com alguém, embora não percebamos, estamos acionando milhares de vezes o gatilho da memória que abre milhares de janelas contendo milhares de informações. Por isso, entendemos a fala, as intenções e até as segundas intenções dos outros.

Compreender o funcionamento da mente me fascina. Frequentemente paro nas ruas para observar o comportamento de pessoas idosas, jovens, crianças, negros, brancos, amarelos. Fico fascinado com o mundo fenomenal que habita em cada ser humano. Descobrir esse mundo é um tesouro.

Eu poderia estar cansado de ver e conversar com pessoas, porque minha profissão é lidar com elas, penetrar em seu mundo. Mas, apesar dos sofrimentos por que já passei e dos milhares de pessoas que analisei e ajudei, meu amor pela vida não se esgotou, ao contrário, aumenta a cada dia. *Você já parou para pensar quantos momentos de solidão, sonhos ocultos, sentimentos secretos e ideias sufocadas existem no pequeno e infinito mundo de cada ser humano?*

Sinto-me profundamente privilegiado por Deus, não pela fama que tenho ou pelos livros publicados em diversos países, mas por ser apaixonado pela vida, apaixonado pela espécie humana. Tal paixão não brota em mim porque me sinto grande e perfeito, mas porque desisti de ser perfeito e percebo minha pequenez. Todos os meus livros refletem essa paixão. Meu maior desejo é conservar esse amor pela existência, porque sei que é tão fácil sufocá-lo pelo sistema social e pelas ansiedades da vida.

Felizes são aqueles que conseguem transpassar a cortina do seu dinheiro, status social e títulos acadêmicos e se apaixonar pela vida, enxergando que cada ser humano é um ser único no palco da existência. Para esses, cada dia é um novo dia. A solidão e o tédio foram banidos dos seus labirintos, e os seus sofrimentos se tornaram alimentos que sustentam uma alegria superior.

Um grande líder não bloqueia a memória dos outros

Um grande líder critica menos e incentiva mais, condena menos e estimula mais, exclui menos e acredita mais. Um grande líder sabe conduzir as pessoas a caminhar pelos labirintos da sua inteligência e a explorar positivamente seu potencial intelectual.

Um péssimo líder inibe as pessoas. Elas mudam o tom de voz, perdem a espontaneidade, medem as palavras diante dele. Um péssimo líder é alguém que deseja que as pessoas gravitem em torno de suas verdades, que ele considera eternas e absolutas.

A história do livro *Quem Mexeu no Meu Queijo?* não tem um grande líder. Não possui um personagem que revolucionou o trabalho em equipe, que estimulou seus colegas a romper o cárcere da emoção e a desenvolver o espírito empreendedor para correr riscos e aproveitar as novas oportunidades.

Haw superou barreiras importantes, mas não foi um grande líder. Não foi um excelente gestor de pessoas, não soube explorar positivamente o potencial intelectual de Hem. Hem reclamava muito e estava aprisionado pelo medo, não conseguia sair do posto onde a fonte de Queijo havia se esgotado. O medo paralisara sua inteligência. Provavelmente sofreu muito para sobreviver ou morreu de fome.

Haw, como veremos, conseguiu resolver seus conflitos, conseguiu reeditar diversos conflitos que foram arquivados, inclusive as crises fóbicas que adquirira na infância. Todavia, sua habilidade não foi suficiente para ajudar Hem. Por isso, ele saiu sozinho para o labirinto.

Quantas vezes você prometeu que sairia para o labirinto e não saiu? Quantas vezes você disse que mudaria sua maneira de ser, de que seria mais paciente com seus filhos, exerceria mais solidariedade com seus colegas de trabalho, mas manteve-se imutável? Quantas vezes você prometeu fazer coisas fora da sua agenda para expandir sua qualidade de vida e seu prazer de viver, mas traiu suas próprias promessas?

Precisamos sair de nossa zona de conforto para procurarmos nos tornar um ser humano melhor, um pai ou uma mãe melhor, um profissional melhor. Precisamos desenvolver as funções mais importantes da inteligência lógica, emocional e multifocal para mudar a nossa história e ajudar os outros também a mudarem. Quais são essas funções? É o que vamos ver agora.

As três inteligências

Nada é tão fascinante quanto a inteligência humana. Ela é ampla e desconhecida. Durante séculos os homens valorizavam a inteligência lógica e raramente se questionavam se havia outras inteligências que teciam a personalidade humana.

Muitos filósofos e cientistas disseram que só poderiam compreender o mundo através da lógica da matemática. Entendiam que o mundo que os cercava era lógico e só uma ciência lógica seria capaz de estudá-lo. Todavia, hoje sabemos que os olhos da matemática são importantes, mas míopes e limitados para compreender o território da emoção, os solos da memória e o palco esplêndido da mente humana.

Através da matemática podemos entender muitos fenômenos do mundo em que estamos, mas não os fenômenos do pequeno e infinito mundo que somos. Precisamos saber o que é a inteligência emocional e a inteligência multifocal para compreendermos as vielas da alma humana.

Por isso os cientistas, que são estritamente lógicos, não aprendem a lidar com perdas e frustrações e, consequentemente, esmagam sua felicidade. É por isso também que em muitas universidades, ao invés de haver um canteiro de solidariedade e um respeito mútuo entre os cientistas e intelectuais, existem graves atritos, autoritarismos e competição predatória.

Há muitos homens com exímia habilidade com números, mas que não sabem lidar com as emoções. Diante de uma ofensa, ainda que pequena e produzida por uma pessoa que os ama, eles destroem sua tranquilidade. Quantos homens brilham no seu raciocínio lógico, mas não sabem filtrar seus estímulos estressantes! São doutores em lógica, mas frágeis alunos na escola da vida.

Precisamos desenvolver a inteligência lógica, mas, se não desenvolvermos também a inteligência emocional e multifocal, podemos correr o risco de ter sucesso social e financeiro, mas vivermos uma vida deprimida e sem sentido. Seremos, talvez, aplaudidos pelo público externo, enquanto vivemos um solitário anonimato, um profundo cárcere emocional.

A inteligência multifocal (QM) faz uma ponte entre a inteligência lógica (QI) e a inteligência emocional (QE). Por estudar o processo de construção dos pensamentos, ela também engloba essas duas inteligências e, além disso, abrange a inteligência ecossocial, que estuda a consciência ambiental do homem. Nosso planeta está morrendo porque nossa inteligência ecossocial é primitiva. A inteligência multifocal compreende ainda a inteligência espiritual, que estuda o ser humano em busca do seu sentido de vida, em busca de seus sonhos transcendentais.

Vamos olhar isso de forma organizada:

INTELIGÊNCIA LÓGICA (QI): desenvolve o raciocínio lógico; incorpora informações lógicas; desenvolve o cálculo matemático; traça e analisa mapas estratégicos; estimula decisões rápidas e racionais; aprende línguas e novas tecnologias; valoriza cursos de graduação e pós-graduação.

INTELIGÊNCIA EMOCIONAL (QE): desenvolve a afetividade, a compaixão, a atenção; aprende a sonhar; conquista habilidade interpessoal; desenvolve a socialização.

INTELIGÊNCIA MULTIFOCAL (QM) é composta por todos os fenômenos que estudamos e muitos outros que não foram descritos aqui. Embora ela trate da construção do pensamento, dos papéis da memória, da formação da consciência e da transformação da emoção, ela também tem uma aplicabilidade prática em relação às funções vitais da inteligência humana.

Destacarei aqui dez dessas funções:

1. A ARTE DE AMAR A VIDA E TUDO QUE A PROMOVE:
   a. Educar a emoção para amar a vida
   b. Prevenir ansiedade e outros transtornos emocionais
   c. Nunca desistir da vida e reciclar tudo que a perturba
   d. Construir relações sociais saudáveis e afetivas usando a ferramenta do diálogo.
2. A ARTE DE CONTEMPLAR O BELO:
   a. Aprender a fazer das pequenas coisas um espetáculo para os olhos

b. Gastar tempo analisando os detalhes de tudo que é belo ao redor de si
   c. Fazer coisas fora da agenda e que propiciam prazer
   d. Transformar a energia da reclamação e lamentação em agradecimento e contemplação.

3. A ARTE DE PENSAR ANTES DE REAGIR:
   a. Aprender a usar a ferramenta do silêncio diante dos estímulos estressantes
   b. Não se contaminar com as labaredas da ansiedade dos outros
   c. Se comprometer em pensar e não em dar resposta rápida
   d. Abrir o leque da inteligência para dar respostas inteligentes.

4. A ARTE DE EXPOR E NÃO IMPOR AS IDEIAS:
   a. Não ter medo de ser questionado e confrontado
   b. Aprender a expor as suas ideias com segurança
   c. Não usar um tom de voz e pressões sutis para impor suas ideias e controlar os outros
   d. Respeitar as ideias e opiniões dos outros, ainda que sejam diferentes das suas.

5. A ARTE DA SOLIDARIEDADE:
   a. Aprender a ser uma pessoa compreensível, flexível, aberta e livre
   b. Procurar aliviar a dor dos outros, mas sem vivê-la
   c. Aprender a ter prazer em se doar sem esperar a contrapartida do retorno
   d. Aprender a perdoar e ser tolerante.

6. A ARTE DE GERENCIAR OS PENSAMENTOS DENTRO E FORA DOS FOCOS DE TENSÃO
   a. Não ser escravo dos pensamentos negativos
   b. Aprender a ser autor da sua história e não vítima dela

c. Criticar os focos de tensão para abrir janelas da memória e desobstruir a inteligência
d. Cuidar carinhosamente do território da emoção e dos solos da memória.

7. COLOCAR-SE NO LUGAR DOS OUTROS:
   a. Aprender a enxergar os outros além da cortina dos comportamentos
   b. Ter prazer de penetrar no mundo das pessoas e conhecê-las intimamente
   c. Perceber os conflitos e as aflições delas
   d. Procurar atender às necessidades das pessoas antes que elas lhe peçam ajuda.

8. TER ESPÍRITO EMPREENDEDOR:
   a. Sair da zona de conforto e aprender a caminhar por terrenos desconhecidos
   b. Aprender a ser controlado pelos sonhos e transformá-los em metas
   c. Ter uma motivação sólida e não ter medo de correr determinados riscos para cumprir suas metas
   d. Tomar decisões, fazer escolhas, transformar seus fracassos em força e nunca esquecer de dar sempre uma nova chance para si mesmo.

9. TRABALHAR PERDAS E FRUSTRAÇÕES:
   a. Não se submeter à pior prisão do mundo: o cárcere da emoção
   b. Superar o medo e extrair lições das perdas e frustrações
   c. Fazer a técnica do *stop introspectivo:* debelar em cinco segundos o foco de ansiedade para que ele não seja registrado como zona de conflito na memória
   d. Fazer a técnica do DCD (duvidar, criticar, determinar) para reeditar o filme do inconsciente.

10. Trabalhar em equipe:
    a. Aprender a discutir ideias em grupo
    b. Não manipular nem polarizar reuniões
    c. Elogiar as ideias dos membros da equipe
    d. Explorar positivamente a inteligência deles e motivá-los.

Embora tenha comentado dez funções da inteligência multifocal, na realidade elas são mais de cem. Em relação às aqui destacadas, creio que a maioria das pessoas não tem pelo menos duas delas bem desenvolvidas em sua personalidade. Se você tem cinco bem trabalhadas, considere-se muito acima da média. Procure lê-las novamente e assimilá-las.

É fundamental investir naquilo que o dinheiro não compra e o status não propicia. Para desenvolver as funções mais importantes da inteligência e viver dias felizes é necessário garimpar no lugar certo e de maneira correta.

Precisamos aprender a ser garimpeiros nos recônditos anônimos do espírito humano, no anfiteatro de nossa mente e na arena de nossa emoção.

Capítulo 11

Como Haw reeditou a sua memória e enfrentou o labirinto

Haw reeditou a sua memória. Hem permaneceu "imutável"

Fizemos uma viagem interessante ao mundo da mente humana. Descobrimos que a energia psíquica é flutuante, que é impossível parar de pensar, que o registro da memória é automático, que a memória não se deleta, que não existe lembrança e sim reconstrução do passado e que o gatilho da memória abre os arquivos das informações. Foi uma bela viagem.

Vimos o exemplo real de muitas pessoas para entendermos os fenômenos que discutimos. E vimos parcialmente o intrincado processo de formação da personalidade de quatro crianças: Hem, Haw, Sniff e Scurry. Eu as coloquei no inferno de uma sala de casa. Sniff e Scurry sobreviveram ao medo e pânico daquela sala, e Hem e Haw desenvolveram medo e ansiedade.

Hem e Haw viveram milhares de outras experiências e pouco a pouco foram desenvolvendo suas personalidades. Tornaram-se frágeis, inseguros, acomodados e incapazes de perceber as mudanças sociais e profissionais que surgiam. Os problemas precisavam atropelá-los para que eles pudessem enxergá-los.

Embora com intensidades diferentes, ambos ficaram lentos demais, aprenderam a amar a rotina, a não gostar de fazer nada fora de sua agenda, a não apreciar situações novas e estressantes. Preferiram ficar plantados em velhas conquistas a ter prazer de andar nos labirintos da existência e pisar em lugares nunca antes percorridos. Por isso, não questionaram suas verdades, não pensaram pela empresa, deixaram os outros pensar por eles, não se sentiram motivados para trabalhar em equipe.

Quando faziam cursos, era apenas para pendurar um diploma na parede. Apesar da excelente capacidade intelectual que possuíam, viviam represados. Como disse, não transformaram as informações que aprenderam em conhecimento, e o conhecimento, em experiência. Desejaram subir no pódio, mas não se dispuseram a enfrentar a labuta dos treinos. Não souberam o que fazer com as perdas, por isso se tornaram especialistas em reclamar quando sofriam. *Você é um especialista em reclamar ou em reunir forças para agradecer e caminhar?*

Um dia, o estoque de Queijo de Hem e Haw acabou. Tudo que eles mais amavam foi por água abaixo. Perderam os empregos, suas esposas pediram o divórcio, seus filhos tornaram-se usuários de drogas, e, infelizmente, como era de se esperar, eles foram os últimos a perceber a mudança de comportamento deles. Para piorar as coisas, estão em crise financeira. O orçamento é insuficiente para fechar as contas no final do mês.

E agora? Como reverter a situação? Como encontrar novos estoques de Queijo? É melhor desistir e ficar morrendo de raiva e ansiedade, ou arriscar a mudar completamente o jeito de ser, pensar e reagir? Os perdedores paralisam-se diante das suas perdas e frustrações, mas os vencedores veem uma oportunidade de recomeçar tudo de novo. Muitos se comportam como perdedores. *O que você faria numa situação dessa? Que atitude tomaria quando tem apenas lágrimas como companhia?*

Hem, infelizmente, ficou paralisado. Foi controlado pelo medo. Foi abatido por seus problemas. Haw, titubeando, resolveu sair para o labirinto. Sua intuição levou-o lentamente a aprender a filtrar os estímulos estressantes, a questionar seu medo e alimentar seus sonhos, e ele começou a desenvolver caminhos diferentes do seu irmão gêmeo. Eles tinham cargas genéticas idênticas, viveram em ambientes semelhantes, mas Haw aprendeu a navegar pouco a pouco com maior habilidade no território da emoção.

Ele não era um super-herói, mas um ser humano comum que aprendeu a reconhecer sua fragilidade e reunir forças para superar seus obstáculos e se tornar uma pessoa realizada e feliz. Vejamos sua trajetória.

Como Haw se tornou autor de sua história

A história do livro *Quem Mexeu no Meu Queijo?* revela-nos que Haw, para superar seu medo e se aventurar no labirinto, começou a escrever frases na parede. Haw está agora na sua fase adulta enfrentando os desafios da vida. Aqui vou interpretar cada frase e cada etapa de Haw, usando tudo o que aprendemos até o momento sobre o admirável mundo da mente humana.

Haw estava indignado porque o estoque de Queijo havia acabado. Escrever nas paredes o fazia refletir. Usando a linguagem da inteligência multifocal, toda vez que escrevia na parede, na realidade, ele escrevia na sua própria memória. Haw, desse modo, aprendeu intuitivamente que a memória não se deleta, mas se reescreve. Aprendeu também que precisava deixar de ser vítima dos seus problemas e resgatar a liderança do seu "eu" no foco de tensão, ou seja, na ausência de Queijo.

A primeira frase que escreveu foi: *Ter Queijo o faz mais feliz.* O Queijo era seu prazer, sua felicidade, seus sonhos, suas metas, suas relações sociais, suas realizações profissionais, seu dinheiro, seu prestígio. Ter Queijo o fazia mais feliz.

Haw ainda não havia saído do posto onde o estoque de Queijo se esgotara. Estava receoso de partir para o labirinto. Ficara influenciado pelo negativismo de Hem.

Descobrindo o valor daquilo que se ama

À noite, escreveu sua segunda frase na parede: *Quanto mais importante seu Queijo é para você, menos você deseja abrir mão dele*. Enquanto escrevia, Haw estava reeditando seu medo, sua insegurança, sua incapacidade de tomar atitudes e seu receio de se arriscar no labirinto. Após escrevê-la, ele e Hem foram para casa, desencorajados.

Hem, por sua vez, olhava para as frases e elas não o emocionavam. Como é a emoção que define a qualidade do registro, e como Hem ficava insensível às frases de Haw, elas não reeditavam a sua história.

No outro dia, ambos saíram de suas casas e foram ao Posto C do labirinto, onde antes havia um enorme estoque de Queijo. Esperavam que um milagre acontecesse, que um grande estoque surgisse magicamente, mas se frustraram. Muitas pessoas são assim: em vez de reagir para solucionar seus problemas, esperam um milagre acontecer.

Hem reclamava da situação, não achava justo o estoque de Queijo ter acabado. Pensava que alguém deveria ser o culpado pelo fim do estoque de Queijo. Não sabia que quem mexera no seu Queijo eram as imagens doentias na sua memória. Não tinha consciência de que quem estava destruindo seus sonhos, seu sentido de vida, seu trabalho e seu relacionamento social era sua maneira estreita e egoísta de ver a vida.

O mundo girava em torno da frustração de Hem. Os pensamentos e emoções de Haw também estavam represados até aquele momento, mas ele começava a se questionar e a questionar Hem.

Enquanto Hem e Haw tentavam decidir o que fazer, Sniff e Scurry já estavam longe. Vasculhavam o labirinto, em alguns momentos se perdiam, em outros encontravam apenas uma porção diária de Queijo, mas não desistiam.

Encontrar um novo e grande estoque de Queijo era a única coisa que ocupava o pensamento dos dois. Por favor, não se esqueçam desta frase: para Sniff e Scurry o labirinto deixara de ser um lugar perigoso e passara a ser o único lugar possível para realizarem seus sonhos.

Se você considerar sua empresa, seu trabalho, sua família e seus relacionamentos sociais um labirinto saturado de perigos, um fardo difícil de suportar, então a derrota será inevitável. Cada labirinto em que você viver produzirá maiores ameaças do que realmente tem.

Se, ao contrário, você aprender a amar cada um desses labirintos, terá prazer intenso naquilo que faz. Com isso, você enfrentará os obstáculos neles existentes sem desespero e, o que é melhor, os explorará com alegria, ainda que tenha momentos de angústias e ansiedade. O labirinto será para você um lugar para realizar seus sonhos, mesmo que você tenha consciência dos riscos.

Haw escrevia as suas frases na parede e saía de sua zona de conforto, do ambiente em que estava familiarizado, arriscando-se a ir mais longe. Alguns pais nunca conquistam seus filhos problemáticos, pois não saem da sua zona de conforto, não abrem mão dos seus paradigmas, da sua ética e moral. Não se arriscam a comportar-se de um modo diferente. Escondem-se atrás de seu orgulho e autoridade intocáveis.

Haw sentia medo de fracassar, mas avançava, enquanto Hem se sentia velho demais para se aventurar. Alguns jovens de dezoito anos de idade são velhos como Hem no território da emoção, sentem-se mais velhos do que idosos de oitenta anos. São especialistas em reclamar, não têm ideais, não lutam pelos seus sonhos, são hiperinsatisfeitos. Por outro lado, algumas pessoas idosas envelheceram fisicamente, trazem cicatrizes do tempo, mas são jovens em seu espírito e emoção, são criativas, curiosas, festivas, amam viver.

Aprendendo a rir de si mesmo

Haw começou a rejuvenescer sua emoção à medida que foi explorando o labirinto. Não era fácil para ele enfrentar o desconhecido. Não era confortável andar sozinho por ares nunca antes respirados. Suava frio, tinha taquicardia e respiração ofegante. Às vezes pensava: "Não vai dar certo." Mas não desistia de caminhar.

À medida que caminhava, Haw foi percebendo que seu medo era uma coisa estúpida. Então, começou a fazer algo muito importante: rir de si mesmo. Começar a rir do medo parece estranho, mas é relaxante. Ria de seu medo e das suas reações tolas. Ria quando você encarar o futuro como um monstro. Tenha uma vida bem-humorada. O bom humor extrai força da fragilidade e nos estimula a caminhar. Uma pessoa negativista é castradora de si mesmo. Mas uma pessoa que treina sua emoção para ver o lado bom do caos nunca desiste dos seus sonhos.

Muitos, ao perderem um emprego, amigos e dinheiro, destroem sua autoestima e fervilham de raiva. A cada crise de ansiedade, aumentam as favelas da memória. Se rissem mais de si mesmos e contemplassem o belo, as pessoas poderiam reurbanizar essas favelas e transitar com mais suavidade pela vida. Poderiam alimentar a esperança, crendo que outras oportunidades melhores virão e que um dia darão a volta por cima. Teriam mais disposição para ir para o labirinto e correr riscos. Teriam mais disposição para brindar a vida e encontrar novos estoques de Queijo.

Por favor, gravem isto: a energia psíquica mais malgasta é a que é usada para se autopunir e reclamar. Quem aprende a agradecer suas conquistas e os inumeráveis detalhes da sua vida ara os solos de sua memória e planta esplêndidas sementes em seu consciente e inconsciente. Quem é um especialista em reclamar torna árida e ácida a sua alma.

Haw continuou a caminhar e fez uma grande descoberta: *Às vezes as coisas mudam e nunca mais são as mesmas. É a vida! A vida segue em frente e nós também deveríamos fazer o mesmo.* Haw descobriu que as coisas nem sempre saem do jeito que queremos ou planejamos. A vida tem avenidas e curvas imprevisíveis. Às vezes as situações mudam para sempre e nós devemos também ter a coragem de mudar.

A descoberta de Haw o animou a ter consciência de que é *hora de partir para o LABIRINTO!* Começou a partir para mais longe, a se aventurar para valer, a deixar de lado as velhas verdades, a deixar antigos preconceitos e velhas maneiras de fazer as coisas. Quantas vezes precisamos promover uma drástica mudança nas nossas relações familiares e no ambiente profissional, mas adiamos?

Sem abrir as janelas da mente poderemos morrer na arte de pensar

Após essa descoberta, Haw escreveu sua mais célebre frase: *Se você não mudar, morrerá.* Haw, sem ter consciência, estava gerenciando seus pensamentos nos focos de tensão, estava deixando de ser vítima de suas perdas e se tornando autor de sua história. *E você, tem sido vítima ou autor da sua história? Quem é que mantém o controle: seus pensamentos negativos sobre você ou você sobre eles?*

O simbolismo da frase *Se você não mudar, morrerá* é grande. Para os jornalistas ela quer dizer que, se eles não melhorarem seu texto, criatividade, argúcia e ousadia, morrerão como profissionais. Outros ocuparão seus lugares.

Para os cônjuges, ela significa que, se eles não forem melhores amantes, se não aprenderem a se elogiar mutuamente, a se ouvir com mais atenção e a surpreender positivamente um ao outro, um dia o amor dos dois morrerá.

Surpreender é elogiar, cativar, é dizer que a pessoa que vive com você é especial, é dar flores sem nenhuma razão aparente, fora das datas convencionais. Muitos moram juntos por décadas, mas não têm coragem de se olhar nos olhos e falar palavras de amor. *Quantas vezes você já disse para as pessoas que você mais ama, seja seu cônjuge ou seus filhos: o que eu posso fazer para torná-lo mais feliz?* Muitos jamais disseram tais palavras. Estão na UTI da emoção, semimortos dentro de si mesmos.

Para os profissionais liberais, executivos e trabalhadores das empresas, a frase *Se você não mudar, morrerá* quer dizer que, se não pensarem pela empresa e se reciclarem, serão ultrapassados, perderão sua competência. Se não abrirem as janelas de sua mente para prevenir erros e fazer além do que lhes é exigido, sufocarão o brilho de sua inteligência, deixarão de ser úteis.

Nessa perspectiva, não é difícil concluir que há mais pessoas "mortas" do que vivas no ambiente social. Há mais pessoas passivas, estáticas, paralisadas e engessadas intelectualmente do que ativas, arrojadas, criativas e livres.

A maioria dos jovens cientistas vive a frase de Haw. O mundo de suas ideias está sempre em processo de ebulição e mudança. Einstein, por exemplo, propôs a complexa teoria da relatividade quando tinha apenas vinte e seis anos de idade. Todavia, a maioria dos cientistas e professores universitários que sobe na carreira acadêmica morre como pensador. Eles aprenderam a apreciar sua zona de conforto e criaram raízes nela. Por isso não se aventuram mais no labirinto do desconhecido e não expandem mais o mundo das ideias.

Os títulos que reconhecem o valor de um cientista, pensador ou intelectual podem se tornar um veneno que mata a criatividade, que conspira contra a inteligência. As universidades muitas vezes geram repetidores do conhecimento e não engenheiros de novas ideias.

Se você quer ser um grande empreendedor, não poderá ter medo de correr riscos e falhar. Errará não poucas vezes, mas este é o preço. Quem vence sem riscos triunfa sem honra.

Vibrando com novas descobertas

Haw continuou sua jornada. Após momentos de ansiedade e dúvidas, escreveu: *O que você faria se não tivesse medo?* Com essa frase, ele começou a questionar seu medo e percebeu que uma dose de estresse pode estimular a ação e animar a procura.

Não pense que todo estresse, ou toda reação de medo, é doentio. Existe uma dose dessas experiências que desafia a emoção e nos estimula a tomar atitudes. Haw começou a decidir que, se tivesse uma nova chance, não sucumbiria ao medo, procuraria se adaptar às mudanças e partiria para encontrar soluções inteligentes assim que os problemas aparecessem.

Haw começou a gerenciar seus pensamentos e não deixou mais seu medo controlá-lo. Eis aí uma grande mudança. Se as pessoas, as dificuldades e as situações dominam você, torna-se impossível transformar seus projetos em realidade. Ninguém, além de você, pode pilotar sua vida. As pessoas podem exercer uma influência positiva, mas nunca abra mão do seu direito de decidir, do seu livre-arbítrio.

Haw, depois de caminhar por um tempo significativo, voltou para dentro de si mesmo e começou a refletir sobre atitudes antigas. Disse: "Cheire o Queijo com frequência para saber quando ele está ficando velho." Passou a apurar seus instintos e desenvolver ferramentas para não dormir enquanto os problemas aconteciam ao seu redor.

Quantas vezes deixamos de perceber que as coisas estão estragadas e mofadas ao nosso redor? Somos lentos muitas vezes para perceber os trincos e as rachaduras nas coisas mais importantes de nossas vidas. Alguns só percebem o caos quando a casa vem abaixo.

Haw continuou aprendendo lições. À medida que escrevia na parede, vibrava emocionalmente com suas descobertas e, sem perceber, o fenômeno RAM ia registrando automaticamente essas novas experiências, sobrepondo-as às antigas e, assim, reescrevendo os principais capítulos de sua personalidade.

Passado algum tempo, ele escreveu: *O movimento em uma nova direção ajuda-o a encontrar um novo Queijo.* Aqui, Haw aprendeu a percorrer novos caminhos e a abandonar uma direção única. Começou a gerenciar o gatilho da memória. Ele já não abria os arquivos doentios que continham as experiências angustiantes que o paralisavam.

Às vezes precisamos parar de insistir na mesma direção e mudar de foco. Uma mudança de rota areja nossa emoção e nos dá vigor para continuar a jornada. Não tente conquistar as pessoas com o seu jeito de sempre. Não use velhos jargões e velhas respostas para os novos problemas. Liberte sua criatividade.

Liberdade! Vencendo o cárcere do medo

Mais adiante, Haw escreveu: *Quando você vence o seu medo, sente-se livre.* Aqui Haw revela que rompeu a pior prisão do mundo: o cárcere do medo. Vencer o cárcere do medo o deixava livre, leve, feliz, apto para correr e enfrentar novos desafios no labirinto. O medo sequestrado no âmago de sua alma é que paralisava sua inteligência, capaz de mexer nas coisas que ele mais amava.

Percorrendo com mais ousadia o labirinto, ele escreveu: *Imaginar-me saboreando o novo Queijo, antes mesmo de encontrá-lo, me conduz a ele.* Livre do cárcere do medo, Haw começou a sonhar alto, muito alto. Sonhava em ser feliz, em amar profundamente sua esposa, em ter filhos afetivos e inteligentes, em tornar-se um excelente funcionário, em desenvolver uma amizade com Deus, em ter muitos amigos, em viajar para lugares maravilhosos, em realizar seus projetos, em ganhar dinheiro. Haw sonhava com novos e grandes estoques dos Queijos que mais apreciava. Sonhava tão longe que se permitia sentir o sabor deles.

Muitos não se permitem sonhar. Seu mundo é pequeno demais. Não se permitem imaginar-se no topo da montanha intelectual, afetiva, profissional. Terão pouco, porque sonham pouco. É preciso sonhar, mas, ao mesmo tempo, sair para as sinuosidades do labirinto e suar a camisa para encontrar os estoques de Queijo.

Esquecendo velhos sucessos e procurando novas conquistas

Mais adiante e confiante, Haw escreveu: *Quanto mais rápido você se esquece do velho Queijo, mais rápido você encontra um novo.* Haw se esqueceu do sucesso anterior, dos tempos de glória no Posto C, dos prazeres que teve quando a vida era abundante. Agora, só se interessava em encontrar um novo Queijo. Sentia que seria mais fácil encontrá-lo se esquecesse o velho.

Os dias e as semanas se passaram, e Haw foi fazendo uma faxina em sua alma. Foi reeditando as zonas de tensão na MUC, na memória de uso contínuo, que amarravam sua liberdade de pensar e decidir.

Os que aprendem os princípios que ele aprendeu se superam profissionalmente, dão a volta por cima das suas derrotas. Haw compreendeu que o mais importante não era encontrar magicamente um grande estoque de Queijo, mas vencer as etapas que o conduziam a novos horizontes.

Sair para o labirinto e vencer sua insegurança alimentavam a sua alma. Quando encontrava um pedaço de Queijo, ainda que desse apenas para uma refeição, festejava-o como uma grande vitória. Onde havia um deserto na memória de Haw era produzido um oásis.

Muitas pessoas vivem em função do seu passado glorioso, do seu sucesso profissional antigo, da lucratividade alta da empresa em tempos remotos. Por gravitarem em torno do passado e não reacenderem o espírito empreendedor, não encontram novos caminhos, novas técnicas, novos processos para gerenciar sua vida e sua empresa. É preferível sofrer uma derrota atual que nos impulsiona a viver em função de uma vitória passada que nos engessa.

Haw mais uma vez escreveu: *É mais seguro procurar no labirinto do que permanecer sem Queijo. Esta descoberta foi profunda.* Tempos atrás, quando estava na companhia de Hem, o labirinto o assustava, mas agora percebe que correr risco é melhor do que ficar sem Queijo. Todos querem conquistar o que mais amam em lugares seguros, ausentes de riscos. Mas é no labirinto sinuoso que podemos materializar nossos sonhos.

Sinto aqui necessidade de expressar uma convicção minha. Só existe um único lugar plenamente seguro nesta Terra, mas ninguém quer morar lá: a sepultura no cemitério. Qualquer outro lugar oferece risco. A própria vida é um grande risco. O maior risco é morrer.

A morte é o maior problema físico, psicológico e filosófico do ser humano. Mas mesmo a morte não é o fundo do túnel para quem crê que a vida é o maior espetáculo do universo e que essa vida é obra-prima de Deus. Antigamente, só dávamos valor à inteligência lógica, mas hoje constatamos como é importante desenvolver outras "inteligências". Entre estas, a espiritual.

Fui um ateu convicto. Deus, para mim, era uma desculpa do cérebro humano que não aceitava seu fim. Mas, um dia, meu pensamento mudou. Ao estudar o labirinto da inteligência humana e os sinuosos espaços do território da emoção, percebi que só um Deus fascinante poderia criar um homem com uma mente extraordinária. Quem penetra nas entranhas da construção dos pensamentos e nos recônditos da alma humana consegue enxergar a grandeza de Deus.

Embora respeite os ateus, realmente creio que a inteligência espiritual é de fundamental importância para que o ser humano tenha uma emoção contemplativa e estável e para que liberte sua criatividade e expanda o mundo das ideias. Crer em Deus é para mim um ato inteligentíssimo.

O labirinto se tornou um lugar de aventura

Posteriormente, Haw escreveu: *As velhas crenças não levam ao novo Queijo.* Haw descobriu que as crenças, os paradigmas, os preconceitos que estavam nas matrizes de sua memória eram seu maior obstáculo para conquistar novos estoques de Queijos.

Cuidado! Não ache que os maiores problemas para que você seja uma pessoa realizada estão no mundo que o cerca, mas na sua memória de uso contínuo (MUC) e, principalmente, nos becos de sua memória existencial (ME).

Quase no final de sua jornada, Haw escreveu: *Notar cedo as pequenas mudanças ajuda-o a adaptar-se às maiores que ocorrerão*. Aqui ele descobriu algo que Sniff e Scurry haviam percebido rapidamente, assim que as mudanças e os problemas ocorreram. Os que são lentos para perceber as mudanças são lentos também para reagir.

Perceber rapidamente as mudanças nos ajuda não apenas a nos adaptar e sofrer menos por elas, mas nos dá subsídios para tomarmos atitudes para prevenir grandes problemas.

Se as pessoas fossem rápidas e corajosas para perceberem o início de seus conflitos, teriam menos solidão, menos vazio existencial, menos angústia, e não chegariam à depressão e ansiedade patológica, pois seriam mais leves, livres e felizes. Se tivessem habilidade para se colocar no lugar dos outros e enxergar rapidamente os problemas que estão sendo confeccionados no cerne de sua alma, teriam filhos emocionalmente saudáveis, manteriam casamentos felizes. Se detectassem rapidamente suas falhas profissionais, preservariam seus empregos e muitas empresas não faliriam.

Eis a diferença de um pequeno líder e um grande líder: um pequeno líder enxerga os grandes erros, um grande líder enxerga os pequenos erros; um pequeno líder vê a casa desmoronar, um grande líder enxerga as pequenas rachaduras e previne seu desabamento.

Haw, após longa caminhada no labirinto, após erros e acertos, momentos de ansiedade e euforia, de dúvida e insegurança, encontrou, por fim, um grande estoque de Queijo. Ele o saboreou prolongadamente. Comeu e se fartou.

Entretanto, sua atitude em relação a essa nova fonte de Queijo mudou. Apesar de estar alegre e realizado com o sucesso descomunal desse novo e grande estoque, ele não se acomodou. Tirou os tênis e a roupa de correr e relaxou, mas deixou-os à mão. Por quê? Porque, assim que ocorressem mudanças no ambiente confortável em que se encontrava, sairia novamente para o labirinto. Tão logo o estoque de Queijo começasse a minguar, ele procuraria novas fontes, encontraria novas alternativas.

O labirinto virou o lar de Haw, e por isso ele disse que sair do lugar em busca de um estoque de Queijo faz da vida uma aventura. Aprendeu a gostar do labirinto. Este deixou de ser um tormento e se tornou para Haw um ambiente de aventura, desafio e prazer, assim como o Queijo.

E quanto a você: como está seu estoque de Queijo? Será que ele não está minguando há muito tempo e você não está percebendo ou não quer enxergar? Será que ele não se esgotou e você tem medo de encontrar novas fontes? Vá para o labirinto! Faça dele um ambiente de prazer e aventura. Nunca se esqueça de que não existe lugar plenamente seguro, a não ser numa sepultura, e mesmo assim alguns ladrões a violam.

Lições de um grande líder

Analisamos algumas áreas da formação da personalidade de Haw, desde os estímulos estressantes que viveu, quando era criança, até os mecanismos de superação que usou na sua fase adulta. Gostaria de fazer um resumo das 15 principais lições que ele aprendeu, porque elas servem para nós:

1. Nada é estático, as mudanças sempre ocorrem dentro e fora de nós
2. Abra as janelas de sua mente, antecipe-se às mudanças
3. Não se deixe escravizar pelo medo, monitore as mudanças

4. Só não muda de ideia quem não tem ideias
5. Mude, assim como as coisas mudam
6. Não gaste energia reclamando, gaste-a para superar os obstáculos e pensar em novas soluções
7. Não tenha medo do novo, aprecie os desafios
8. Tenha coragem de ir para o labirinto
9. Corra riscos para executar seus sonhos
10. Nunca desista de si mesmo. A vida é uma aventura
11. Recomece tantas vezes quantas forem necessárias
12. Não tenha receio de expressar ou escrever seus sentimentos frustrantes
13. Compreenda que são as zonas de conflito da memória que mexem ou bloqueiam as suas metas e tudo que você mais ama
14. Supere o cárcere do medo, da insegurança, da ansiedade
15. Um dia alguém vai superá-lo. É melhor que você supere a si mesmo.

Capítulo 12

Um homem fascinante que soube caminhar nos labirintos

Uma inteligência fenomenal

Muitos homens, ao longo da História, brilharam em suas inteligências e desenvolveram algumas áreas importantes do pensamento. Sócrates foi um excelente questionador dos eventos que o rodeavam. Ele discutia sem medo temas polêmicos e nada entrava no palco da sua mente sem passar pelo filtro da sua crítica.

Platão penetrou no âmago das relações sociais e políticas e estabeleceu princípios éticos que deveriam nortear o universo social. O amor pela sabedoria e a arte de aprender eram deleites para esse pensador grego. Em sua obra *A República*, ele expõe suas ideias filosóficas, políticas, jurídicas e estéticas. Platão foi um dos filósofos mais influentes de todos os tempos.

Confúcio foi um filósofo que amou a brandura e irrigou sua história com a sensibilidade. Sidarta Gautama, o fundador do budismo, viajou pelas vielas da alma e das dores humanas, foi um pensador da busca interior. Moisés, educado pela filha do faraó, era eloquente e inteligente. Como mensageiro de Deus, resgatou com destreza o povo de Israel da servidão e o introduziu na terra de Canaã. Maomé foi um profeta peregrino, mas se tornou o fundador do império árabe e da religião mulçumana. Suas qualidades privilegiadas como político e legislador unificaram o povo árabe, que estava dividido e sem identidade.

Einstein observou o mundo com os olhos do coração, refinou sua intuição e descobriu que o essencial é invisível aos olhos. Desenvolveu uma equação para unir o tempo e o espaço, a matéria e a energia, e para explicar os enigmas do universo. A ciência nunca mais foi a mesma depois que ele expressou suas ideias.

Independentemente de qualquer julgamento que possamos fazer desses homens, e de tantos outros, o fato é que eles expandiram o mundo das ideias no campo científico, cultural, filosófico e espiritual. Seus pensamentos germinaram como sementes na mente dos homens e enriqueceram a história da humanidade. Aprecio estudar a personalidade dos grandes homens. Estudar a inteligência deles provoca a arte de pensar.

Houve, porém, um homem que viveu há muitos séculos e que não apenas teve uma inteligência fascinante, mas também uma personalidade misteriosa. Ele conquistou uma fama indescritível. O mundo comemora seu nascimento. Suas ideias foram tão impressionantes que dividiram a História. Seu nome é Jesus Cristo.

Ele foi tão espetacular que reis se dobraram aos seus pés, intelectuais se encantaram com seus pensamentos, Maomé o exalta em verso e prosa no Alcorão. Gandhi, Spinosa e tantos outros expressaram profunda admiração por ele. Talvez Jesus Cristo seja a pessoa mais famosa desta Terra, e paradoxalmente sua inteligência e capacidade intelectual seja a menos conhecida.

Apesar das minhas limitações, analisei sua personalidade detalhadamente. Estudei-a não do ponto de vista teológico ou sob o enfoque de uma religião, mas do ponto de vista psicológico, psiquiátrico e sociológico. Procurei estudar os pensamentos de Cristo e as entrelinhas de suas ideias descritas nas suas quatro biografias, os evangelhos. Fiz o que a ciência ainda não tinha tido coragem de fazer.

O resultado desse estudo está nos livros da coleção "Análise da Inteligência de Cristo". Publicados em muitos países, usados em inúmeras faculdades, lidos por pessoas de todos os níveis intelectuais e de todas as religiões, inclusive não cristãs.

Seus comportamentos não têm precedente histórico

O motivo de citar Jesus Cristo neste livro é mostrar que ele soube proteger a sua emoção e ter qualidade de vida em ambientes em que era quase impossível ser saudável. Ele teve todos os motivos para ter depressão e ansiedade. Sua memória poderia estar saturada de zonas de conflito, mas ele foi livre, feliz, seguro e sábio.

Seus inimigos ficavam perplexos diante da sua inteligência. Ele viveu a mais elevada inteligência lógica, emocional, espiritual e multifocal. Era uma pessoa tão deslumbrante e agradável que até seus inimigos faziam plantão para ouvi-lo.

Alguns poderão achar que, pelo fato de ser o filho de Deus, ele não serve de exemplo para nós! Mas eu o estudo como um homem que participou de festas, chorou, sofreu, foi humilhado, procurou amigos, passou pelo caos físico, social e emocional. Jesus Cristo foi apaixonado por sua condição humana. Usava uma expressão que nunca vi alguém usar. Dizia orgulhosamente: *"Eu sou o filho do homem!"*

Jamais analisei uma pessoa tão segura num ambiente ameaçador. Nunca investiguei alguém como ele, que soube navegar nas águas da emoção e fazer dos solos de sua memória um campo de flores. O jardineiro da vida era tão magnífico que preferiu ser preso num jardim, no jardim do Getsêmani. Milhões de pessoas visitam até hoje esse jardim em Israel. Apesar de ter muitos opositores, ele gerenciou seus pensamentos e transitou com tranquilidade pelos sinuosos labirintos de Jerusalém. Ninguém roubava a sua tranquilidade.

Ele considerava cada ser humano um ser insubstituível. Por isso, para a nossa admiração, ele era capaz de colocar sua vida em perigo não apenas para defender uma multidão, mas até mesmo uma prostituta, e ainda por cima desconhecida. Fez não apenas dos grandes seus amigos, mas também dos leprosos e desprezados. Ao seu lado, os miseráveis encontravam conforto para sua alma. Eles exultavam, saíam correndo como meninos, ganhavam um novo sentido de vida.

O mundo conspirava contra ele, mas, em vez de ficar perturbado, era possível achá-lo jantando tranquilamente na casa de seus íntimos. Seus discípulos, que eram especialistas em navegação, se desesperavam quando o mar estava furioso, mas era possível achá-lo dormindo dentro de um barco. Sem dúvida ele foi "o mestre da emoção". Qualquer cético que investigá-lo ficará pasmo. Seus comportamentos não têm precedente na História.

Nunca impôs o que pensava. Jamais pressionou alguém a segui-lo. Ele apenas convidava as pessoas a beberem da sua sabedoria e compreenderem seu plano transcendental. Diferente de todos os poderosos, quem quisesse segui-lo e caminhar pelo labirinto em que ele caminhava tinha de aprender em primeiro lugar a linguagem do amor. Numa terra em que os homens se odiavam e a vida valia tão pouco, ele discursou sobre a revolução do amor.

Elevou a autoestima dos seus íntimos num patamar incompreensível para a psiquiatria. Bradava altissonante: "*Amai o próximo como a ti mesmo!*" Para amar o próximo era necessário primeiramente amar intensamente a vida que pulsava em si mesmo. Os que o seguiam, portanto, não sentiam tédio e vazio existencial. A vida era uma aventura sublime para eles.

O mestre dos mestres teve uma pedagogia superior à das ciências da educação da atualidade. Foi um contador de histórias encantador. Com poucas palavras, ensinava coisas fundamentais para a existência humana. Utilizava com incrível habilidade os papéis da memória.

Sabia que o registro era automático, que a qualidade da emoção determinava a qualidade do registro e que a memória não podia ser deletada, só reeditada. Por isso, em vez de usar milhares de palavras para ensinar as funções mais importantes da inteligência, utilizava gestos surpreendentes que marcavam para sempre a memória dos seus discípulos. Foi um mestre inesquecível, suas palavras e seus gestos atravessaram gerações.

As últimas e fascinantes lições de vida

Poucas horas antes do seu julgamento, reuniu os discípulos para transmitir-lhes algumas excelentes lições. Queria que eles trabalhassem em equipe, não vivessem uma competição predatória, refinassem a arte da solidariedade e aprendessem a se doar uns aos outros. Almejava algo aparentemente absurdo para o nosso individualismo: que os maiores servissem aos menores.

Como ensinar o que as universidades nunca conseguiram com milhões de informações? Como ensinar algo que contraria a cultura humana, pois sempre os menores serviram aos maiores?

Para dar essas lições, ele teve a coragem e o desprendimento de sair da sua zona de conforto. Milhares de pessoas se prostravam aos seus pés, mas, para a surpresa de todos, ele se prostrou aos pés daqueles homens humildes para, com seu gesto, dar-lhes essas lições. Entrou profundamente no labirinto da escola da vida como ninguém havia penetrado antes.

Pegou uma bacia de água, cingiu o lombo com uma toalha, ajoelhou-se diante dos pés dos seus discípulos e começou a lavá-los. Aquele que era reconhecido como filho de Deus mostrou-se o mais humilde e intrigante dos homens. Lavou os pés de galileus incultos e iletrados. Tal gesto surpreendente deixou pasmos seus discípulos. A emoção deles foi invadida por um misto de êxtase, ansiedade e apreensão.

A cena foi registrada de maneira privilegiada na MUC, memória de uso contínuo. Permaneceu viva e para sempre na memória consciente dos seus discípulos. Através dos seus gestos produzidos em poucos minutos, Jesus conseguia causar na personalidade das pessoas um impacto maior do que décadas de educação escolar causam nos alunos. Ele foi o mestre dos mestres da escola da vida, uma escola em que muitos intelectuais, cientistas, psiquiatras e psicólogos são pequenos aprendizes.

Certa vez, ao dar uma conferência para educadores, médicos e psicólogos, reproduzi parcialmente o gesto de Jesus. Estava discursando sobre qualidade de vida e a necessidade de as pessoas romperem sua bolha de solidão e interagirem.

Então, abaixei-me diante dos pés de uma mulher e pedi licença para retirar-lhe os sapatos. Ela não queria me deixar tirá-los, mas insisti, e ela o permitiu. Mostrei os sapatos para a plateia e pedi a uma outra pessoa que os recolocasse com delicadeza. Depois disso, solicitei às pessoas que estavam próximas que se olhassem nos olhos, retirassem e recolocassem os sapatos uma da outra. Após esse gesto, pedi que se abraçassem.

Todos ficaram profundamente emocionados ao término da conferência. Sentiam-se como crianças que corriam livremente nos labirintos do território da emoção.

Sua memória era um jardim

Raramente alguém passou pelo volume de estresse que Jesus Cristo passou. Nasceu num estábulo. Com menos de dois anos, mal iniciara sua vida e já estava condenado à morte por Herodes. Seus pais, apesar da riqueza interior, não tinham qualquer expressão social. A cidade em que cresceu era desprezada.

O adolescente Jesus tornou-se um carpinteiro. Por que foi um carpinteiro e não um agricultor ou um pescador? Esta é uma questão importante. De acordo com Lucas, o adolescente Jesus já sabia, com doze anos de idade, a sua missão. Quando tinha trinta anos, começou a dizer detalhadamente como morreria, quando nem ao menos havia uma ameaça no ar contra ele. Isso me faz supor que sua profissão de carpinteiro não foi escolhida apenas porque seu pai o era. Ele foi um carpinteiro porque um dia morreria com as mesmas ferramentas com que trabalhava: martelo, pregos e madeira.

O homem Jesus foi, ao que tudo indica, testado de todas as formas com os estímulos mais agressivos e estressantes. Trabalhou com as mesmas ferramentas que um dia o destruiriam. A profissão de carpinteiro poderia gerar milhares de zonas de conflito em sua memória, destruindo completamente sua alegria, sociabilidade, segurança, criatividade.

Cada vez que cravava um prego na madeira, provavelmente sabia que um dia suas mãos e seus pés seriam cravados numa cruz. Maria, sua delicada mãe, certamente recomendou inúmeras vezes para que ele tomasse cuidado com as ferramentas que usava, pois eram pesadas e perigosas. Ele, como um filho dócil e amável, obedecia. Mas no secreto do seu ser talvez dissesse: *"Mãe, por mais que eu tenha cuidado, essas ferramentas, um dia, serão usadas para me crucificar."*

Por passar por inúmeros focos de estresse durante todo o árduo labirinto de sua vida, era de se esperar que ele se tornasse uma pessoa ansiosa, irritada, insegura. Mas quando falou para o mundo, surgiu a pessoa mais serena, tranquila e segura que pisou nesta Terra. Era de se esperar que aparecesse alguém infeliz e insociável, mas apareceu alguém que convidava os homens a beberem de sua felicidade.

Pedro extraiu uma lição em cada gota de lágrima

No território da emoção de Jesus, o perdão se tornou poesia e a tolerância, soneto. Por isso ele nunca desistia de ninguém. Seu amor era incondicional. Tal amor protegia a sua memória contra o lixo social e o tornava livre, sereno e seguro.

Quando Pedro o negou pela terceira vez, Jesus voltou-se para ele e o alcançou com o olhar. Estava mutilado, ferido, mas livre por dentro. Pedro estava livre por fora, mas preso no cárcere do medo. Jesus abriu as janelas da sua mente e com seu olhar penetrante quis dizer: "Pedro, você pode me negar, mas eu jamais me esquecerei de você. Você pode me rejeitar, mas meus olhos dizem que ainda o amo e não desisto de você." Quando sua boca estava impedida de falar, ele falava com os olhos.

Nunca na História alguém no ápice da dor gerenciou seus pensamentos, caminhou de maneira tão digna no labirinto da emoção e produziu gestos tão eloquentes. Foi de fato um excelente mestre da emoção. Brilhou no caos.

Pedro saiu da cena profundamente perturbado. Saiu e foi chorar. Cada lágrima que escorria por seu rosto era um momento de reflexão. Cada lágrima era uma lição de vida. Pedro começou a amadurecer depois que passou a conhecer seus limites e fragilidades. Desse modo, seu "eu" adquiriu ferramentas para gerenciar sua ansiedade e reeditar o filme do seu inconsciente.

Ele se tornou forte diante do seu gravíssimo erro. Por quê? Porque aprendeu a caminhar dentro de si mesmo. Pedro achava que era fortíssimo e que jamais negaria seu mestre, pois o amava muito. Mas sua inteligência foi travada pelo medo, e seu estoque de Queijo acabou drástica e subitamente.

Ele teve de percorrer o labirinto da sua alma e explorar áreas que não conhecia. Desse modo, aprendeu grandes lições. Aprendeu a ser tolerante e flexível com os erros dos outros. Aprendeu a incluir e não julgar. Aprendeu a perdoar e não condenar.

O mestre da vida nunca desistia das pessoas

O mestre dos mestres sabia que a vida era um labirinto onde frequentemente o estoque daquilo que mais amamos fica abalado e comprometido. Ele era paciente para atingir seus objetivos.

Nada o desviava de sua rota. Nunca desistia da sua vida nem das pessoas que o rodeavam.

Ele sabia que em alguns momentos o mundo desaba sobre nós e, por isso, pensamos em recuar. Mas nunca apontava os defeitos das pessoas e as punia, somente as encorajava. Elas podiam ser agressivas com ele, mas ele exalava doçura em seus gestos. Em alguns momentos expressou agressividade, não com as pessoas, e sim com as circunstâncias ou com a maquiagem que elas usavam para esconder as mazelas da alma.

Foi gentil com os seus opositores e manso com seus carrascos. Queria que todos corrigissem as rotas de suas vidas e fossem felizes. Por incrível que pareça, nem mesmo do seu traidor, Judas, ele desistiu. Vejamos como.

Jesus estava orando no jardim do Getsêmani. Era uma noite densa e fria. Judas Iscariotes se aproximou dele com uma grande escolta, cerca de trezentos homens, e beijou-o, fazendo um falso elogio: "*Salve, Mestre!*"

Qualquer pessoa que se sente traída é invadida pela raiva e indignação. Por muito menos cortamos para sempre a relação com as pessoas que nos frustram, rejeitam e ferem. Porém, para o nosso espanto, a reação de Jesus foi surpreendente. Olhou para Judas e teve um gesto de amor, dizendo: "*Amigo, para que vieste?*"

Aqui há algumas considerações importantes. O beijo de Judas indica que Cristo possuía uma amabilidade magnífica. Judas, embora estivesse traindo seu mestre, conhecia Jesus o suficiente para saber que ele possuía uma gentileza e tranquilidade inexplicáveis. Sabia que não seria necessário o uso de agressividade e emboscada para prendê-lo. Um beijo seria suficiente para que Cristo fosse reconhecido. *Em toda a história da humanidade, nunca alguém, por ser tão amável, foi traído de maneira tão suave!*

Judas o machucou profundamente e Jesus devolveu o gesto chamando-o de amigo. Ele teve a coragem e o desprendimento de levá-lo a se interiorizar e a repensar sua atitude. Sua reação não cabe nos compêndios da psicologia, filosofia, sociologia e ciências da educação. Ela foge totalmente ao padrão lógico de nossa inteligência.

A reação normal seria ofender o traidor ou se emudecer diante do medo de ser preso. Tais reações sempre permearam a História. Porém, o mestre dos mestres não teve nem uma nem outra reação. Ninguém pilotava a sua vida. Nenhum problema o controlava. Ele era livre, mesmo quando aprisionado por uma escolta.

Judas desistiu de Jesus Cristo, mas ele não desistiu de Judas. Ele deu-lhe até o último minuto uma preciosa oportunidade para romper o cárcere da traição e da cobiça e reescrever a sua história. *Nunca, na História, um traidor foi tratado de maneira tão amável e elegante! Nunca o amor chegou a patamares tão elevados e a tolerância a níveis tão sublimes.*

O amor irrigava o território da emoção de Jesus Cristo com mananciais de tranquilidade num ambiente desesperador. Ele foi o mestre da vida em todos os labirintos da existência.

Estimulando um miserável a sonhar enquanto morria

Na crucificação, um criminoso ao seu lado ouviu suas palavras, observou seu comportamento e, apesar de estar golpeado pela dor, começou a refletir profundamente sobre sua vida. Seu estoque de Queijo havia terminado.

Ele estava morrendo numa cruz, nunca mais beijaria seus filhos, teria o carinho de sua esposa, abraçaria seus amigos e contemplaria luares e estrelas. Era apenas um miserável que se contorcia de dor. Todavia, ele foi contaminado pela inteligência e pelo amor de Cristo. Por isso, saiu espetacularmente do anfiteatro da dor e começou a sonhar em superar a morte.

Ele se voltou para Jesus e conseguiu ver o que ninguém via. Viu que, por detrás do corpo mutilado, costas dilaceradas pelos açoites e o rosto cheio de hematomas, havia uma esperança de transcender a morte e viver uma vida além da cortina do tempo. Para surpresa de todos, disse: *"Jesus, lembra-te de mim quando chegares no teu reino."*

E Jesus, apesar de estar ofegante e com o coração em estado de falência, respondeu-lhe afirmativamente: *"Ainda hoje estarás comigo no paraíso."* Crer nessas palavras depende da fé, mas, se deixarmos a questão da fé de lado e analisarmos a questão do ponto de vista psicológico, não há como não ficar perplexo. Jesus disse ao criminoso que, algumas horas a mais, eles estariam numa esfera onde não existiriam lágrimas, dor e pranto.

Dois homens mutilados, que deveriam estar apenas gemendo de dor, discorriam sobre a eternidade. Eles tinham todos os motivos para odiar o mundo e lamentar inconsoladamente o seu infortúnio. Mas, ao invés disso, eles ergueram os olhos e viram uma paisagem que ninguém conseguia ver.

Nunca na História um homem no ápice da sua dor conseguiu motivar as pessoas a superarem seu desespero, como Jesus. Ele conseguiu mudar o destino das pessoas até quando todo o seu corpo desfalecia. Conseguiu fazer um miserável às portas da morte voltar a sonhar. Como fez isso? Levando-o a atravessar a janela do tempo e almejar algo indecifrável e incompreensível pela ciência: a vida eterna, a imortalidade.

Pouco tempo depois, seus olhos se fecharam. Jamais pisou nesta Terra alguém como Jesus Cristo, que velejou pelas águas turbulentas da emoção e nos ensinou que vale a pena viver a vida, apesar de todas as nossas perdas, dores e problemas.

Fazendo poesia no caos

Mesmo quando todas as células do seu corpo morriam e sua emoção estava esmagada pela dor da crucificação, o mestre da vida conseguia ter reações ímpares. Quando todos esperavam que ele gritasse de dor e fosse derrotado pela ansiedade como qualquer um às portas da morte, ele encheu dolorosamente o peito de ar e gritou: "*Pai, perdoa-os porque eles não sabem o que fazem.*" Ele desculpou homens indesculpáveis. A dor não detonava o gatilho que fechava as janelas de sua memória. Ele teve a coragem de perdoar os seus carrascos. Ele não conseguia fazer inimigos, não se deixava ser invadido por mágoas e ressentimentos. Somente alguém tão livre pode caminhar pelos amargos labirintos da dor e ter gestos tão altruístas. O homem Jesus fez poesia no caos.

Ele era forte, seguro e estruturado emocionalmente, mas, ao mesmo tempo, humano, gentil, singelo e sincero. Nós represamos nossas emoções, mas ele as expressava. Não tinha receio de chorar na frente das pessoas. Quando sentia necessidade, falava sem constrangimento da sua dor. No Jardim das Oliveiras disse: "*A minha alma está angustiada até a morte.*"

Muitos homens que são líderes espirituais, políticos, acadêmicos vivem numa bolha de solidão. Não sabem falar dos seus conflitos com outros, e até para si mesmos dissimulam seus sentimentos. Não admitem chorar, sofrer e serem frágeis. São deuses intocáveis. São carrascos de si mesmos. Sem perceberem, esmagam seu prazer de viver.

Contrastando com eles, Jesus Cristo, que foi considerado divino, amou ser um homem. Ele soube caminhar pelos labirintos da existência com dignidade. Sua vida e sua história são um exemplo vivo de que podemos revolucionar nossa qualidade de vida.

Ele tinha todos os motivos do mundo para se decepcionar com o ser humano, mas nunca deixou de se encantar por ele. A vida que pulsava nas crianças, nos adultos e nos idosos era esplêndida para ele. Cada ser humano foi considerado uma joia única, excepcional, exclusiva! Sua história é um grande laboratório de autoestima.

Ele sempre soube que não somos gigantes nem heróis! Por isso era tolerante e paciente com o homem. Para ele, valia a pena viver cada minuto da vida, mesmo que tenhamos percalços, sejamos derrotados e fiquemos decepcionados conosco e com o mundo. Depois que ele esteve entre nós, a vida ganhou um fascinante significado...

Capítulo 13

Destruindo o meu labirinto

Enfrentando o caos no labirinto

Ao terminar este livro, tive o desejo de compartilhar com o leitor uma experiência essencial vivida por mim e por minha família. Essa experiência recente motivou-me a escrever este capítulo final. Mostrei-o a alguns amigos e até a meus estimados editores, perguntando se eles achavam que eu deveria mantê-lo. Todos ficaram comovidos e me pediram que o preservasse, pois muitas pessoas poderiam ser ajudadas a não desistir, mesmo se atravessarem grandes dificuldades nos labirintos de suas vidas.

Estou publicando este capítulo porque, acima de ser um escritor e um pesquisador de psicologia e filosofia, quero ser um propagador de esperança. Apesar de minhas marcantes limitações, gostaria que a minha dor e as minhas lágrimas fossem um testemunho de que vale a pena viver a vida. Eu e minha família passamos por uma experiência em que não apenas o mais belo estoque de Queijo esgotou-se, mas nosso labirinto foi destruído.

Quem me estimulou indiretamente a escrever este texto foi minha querida filha mais nova, de oito anos.

Eram cerca de dez horas da noite. Ela veio abraçar-me e dar alguns carinhosos beijos em meu rosto antes de ir dormir, como sempre faz. Mas, naquele dia, seus olhos revelavam muita tristeza. Ela fitou-me e me pediu para ir até seu quarto. Demorei alguns minutos. Quando cheguei, ela estava ajoelhada aos pés da sua cama, orando. Nunca a havia visto orando daquele modo.

Abracei-a prolongadamente. Então, ela se sentou na cama e me disse: "Papai, eu quero te mostrar uma coisa." Tirou de baixo do travesseiro uma foto de dois primos que ela amava muito e com quem brincava sempre. Eu também os amava muito e sentia como se não fossem meus sobrinhos, mas meus próprios filhos. Todas as vezes que os via, eles saíam correndo para me abraçar e beijar. Que saudade!

O mais novo, de cinco anos, era divertido, esperto, brincalhão, chamava atenção de todo mundo nos lugares por onde passava. O mais velho, de oito anos, era compenetrado, sensível e muito inteligente.

Há alguns meses, eles foram com sua mãe ao clube numa cidade vizinha e, na volta, algo inesperado aconteceu. A mãe perdeu o controle do carro e, infelizmente, todos faleceram, inclusive um amiguinho deles. A dor que sentimos foi indescritível. Nossa alma chorou copiosamente.

Quando alguém que se ama morre lentamente, você tem tempo para se preparar, ainda que seja doloroso. Mas quando se perde um ser amado subitamente, parece que a perda não é real. A mente aceita, mas a emoção não assimila. Perder essas crianças, bem como sua mãe, num grave acidente de carro, foi mais do que mexer e dissipar todo o nosso estoque de Queijo. Foi destruir o próprio labirinto e não ter por onde caminhar.

Todos nós, inclusive meus pais, meus irmãos e os mais próximos, dissemos muitas vezes: "Parece inacreditável que eles se foram. Ainda ontem estávamos todos juntos brincando, sorrindo, nos abraçando." A vida se dissipa como uma gota de água no sol do meio-dia.

O jardineiro da vida

A perda foi irreparável. Um terremoto fendeu o território de nossas emoções. Nessa perda, tive de ajudar tantas pessoas –

filhos, pais, irmãos, tios, amigos – que não encontrei tempo para chorar minhas próprias lágrimas.

Meu querido irmão caçula, um brilhante juiz federal, perdeu seus dois filhos e a esposa. Sua posição social não valia mais nada. Ao perder toda a sua família, ele se tornou apenas um ser humano, alguém que experimentou a mais profunda solidão e crise existencial. Poucos pais foram tão carinhosos com os filhos quanto ele. Todos os psiquiatras do mundo não conseguiriam consolá-lo diante dessa perda. Ele só sobreviveu porque se tornou um amigo do Autor da vida.

Apesar do vendaval por que passamos, em nenhum minuto reclamamos ou nos revoltamos contra Deus. Ao contrário, nós agradecemos a Ele por ter nos dado a oportunidade de conviver minuto após minuto com essas maravilhosas crianças, sua mãe e seu precioso amiguinho. Tivemos longas conversas sobre quem é Deus e sobre o sentido da vida humana. Isso nos fortaleceu. A crença em Deus tornou-se o solo mais vivo e real para caminharmos em nossos labirintos.

Conversamos sobre a temporalidade da existência e, apesar de toda a dor, ficamos convictos de que a vida humana, por mais longa que seja, é apenas uma gota na perspectiva da eternidade. Cremos que esses nossos seres queridos estão vivos, não perderam sua identidade no caos de um túmulo, não esfacelaram a colcha de retalhos de suas personalidades.

Achamos que o Jardineiro da vida se encantou tanto com essas pequenas flores que preferiu colhê-las prematuramente para aspirar o seu perfume.

A depressão de Freud e seu desejo inconsciente pela eternidade

Alguns, ao perderem as pessoas que amam, paralisam seu encanto pela vida, sua coragem de viver. Ao perdermos essas amadas pessoas de nossa família, ficamos abalados e profundamente feridos, mas não perdemos a coragem de viver. Deus deixou de ser uma religião, um dogma, um conforto temporário, para ser o Autor e financiador da continuidade do espetáculo da vida.

Como já disse, fui um ateu convicto. No passado, achava que procurar Deus era uma perda de tempo. Por analisar continuamente como construímos os pensamentos, questionei seriamente se Deus não seria apenas uma brilhante ideia da mente humana. Uma desculpa do cérebro que não aceita o seu fim, sua morte, seu caos. Disse muitas vezes para mim mesmo que Deus era fruto da minha imaginação.

Entretanto, quando estudei psicológica e filosoficamente a inteligência humana, percebi que os fenômenos que constroem as cadeias de pensamentos só podem ser obra de um Deus fantástico. A mente humana é o maior enigma do universo. Um dia, talvez, publicarei um texto em que demonstro que o funcionamento da mente revela a existência de Deus. Por quê? Porque a mente humana possui fenômenos que ultrapassam os limites das leis da física. Na minha opinião, só a existência de um Deus muito maior do que a nossa religiosidade apresenta poderia explicar a construção do mundo das ideias.

Animo-me em saber que não apenas muitos estudantes universitários de diversas faculdades, mas pessoas pertencentes a religiões cristãs e não cristãs têm usado os livros da coleção "Análise da Inteligência de Cristo". Mas fico particularmente alegre que ateus têm sido ajudados por esses textos e comentado que suas vidas ganharam um novo alento após a sua leitura.

Embora faça uma investigação psicológica da humanidade do mestre dos mestres, e não entre no campo da divindade e da religião, é animador o fato de o homem Jesus discursar eloquentemente sobre a vida eterna. A morte é a frustração da medicina, mas ele comentava que enfrentaria a morte como se ele fosse um engenheiro do tempo, como se a superasse com a maior tranquilidade. Seus pensamentos assombram a medicina.

Uma das ideias centrais da inteligência humana é o desejo de transcender a morte e ir ao encontro da eternidade. Mesmo quando uma pessoa pensa em suicídio, ela não quer matar a vida, mas sim a sua dor, ou seja, as suas mazelas e misérias emocionais. Muitos psiquiatras e psicólogos não enxergam que os que pensam em suicídio, na realidade, têm fome e sede de viver.

Não importa qual seja a sua religião, ou mesmo se você não tem religião. Há um desejo inato no homem de transcender a cortina do tempo e viver uma vida inesgotável. Vejamos um período da história de Freud que, a meu ver, confirma essa tese.

Estudei a história de alguns pensadores, entre eles Freud. Freud era um judeu ateu. Com 67 anos, teve uma grave depressão porque perdeu um neto que amava intensamente. Era um neto que o encantava, desarmava sua postura de pensador e relaxava a sua emoção. A criança ensinou o intelectual a brincar e perceber que, acima de tudo, ele era apenas um ser humano. O menino adquiriu uma tuberculose, foi piorando lentamente e acabou morrendo.

A perda foi insuportável. A dor, indescritível. O pai da psicanálise chegou a dizer que trabalhava por pura necessidade, pois perdera o prazer de viver. Sua crise depressiva era um sinal de fragilidade? Em hipótese alguma. Era sinal de sua grandeza. Representava uma reação inconsciente de um homem que, embora fosse ateu, não aceitava o fim da existência e procurava a eternidade nos labirintos de sua alma. Freud descobriu e discursou sobre o inconsciente. A depressão de Freud foi uma explosão do seu próprio inconsciente em busca da eternidade.

Quando sofri a perda dos meus sobrinhos entendi a dor dramática de Freud. Todo o meu dinheiro, fama, status, títulos acadêmicos perderam completamente o valor. Senti-me o mais impotente dos homens. Ajudei tantas pessoas a superar perdas dos filhos, dos pais, do cônjuge. Ajudei pessoas a enfrentar o câncer, a Aids, acidentes. Mas agora chegara a minha vez de passar pelo caos.

Pensei diversas vezes no âmago da minha alma que, se pudesse, daria tudo que tenho, todas as minhas conquistas, para trazer meus sobrinhos amados de volta, abraçá-los e tocá-los. Nunca os olhos de algumas crianças foram tão caros para mim. Mas sou apenas um pequeno ser humano, e não Deus.

Diante da minha fragilidade, aprendi que os que respeitam sua própria inteligência e procuram, independentemente de uma religião, ser um amigo de Deus têm mais força para chorar, cair e se levantar. Tenho procurado ser um amigo de Deus e aprendido a encontrar um oásis em meu deserto e proclamado que a vida é encantadora, apesar de todas as suas perdas. Quem disse que temos que ser infelizes quando o mundo desaba sobre nós? Quem disse que as perdas não nos conduzem a sublimes conquistas?

As lágrimas são gotas de esperança

Quando minha filha me fez ver a foto dos seus dois primos, seus olhos se encheram de lágrimas. Não dei explicações psicológicas a ela. Perguntei apenas se estava com medo. Ela disse que não, pois, embora sentisse muita saudade, acreditava que um dia os veria novamente.

Fitei sua face e disse-lhe que também sentia uma saudade enorme. Então choramos juntos. Nos abraçamos e nos beijamos. Nosso sofrimento não nos impediu de caminhar nem de sonhar. Ao contrário, sentimos que *os invernos mais rigorosos produzem as mais belas flores das primaveras*.

Todos fecham os olhos quando morrem, mas nem todos enxergam quando estão vivos. Temos enxergado com o coração, por isso temos tido alegria na dor e acreditado que os dias mais felizes estão por vir. Temos visto que a vida pulsa além da cortina do tempo, por isso nossas lágrimas se tornaram gotas de esperança...

Para alguns as perdas podem ser destrutivas, mas para outros elas podem trazer ganhos que transformam a vida num espetáculo imperdível... Como você enfrenta as suas perdas?

Deixamos de lado as pessoas que mais amamos

Muitos pais não aproveitam o tempo com seus filhos. Ficam atarefados, preocupados com suas responsabilidades e problemas profissionais. Não têm espaço na sua agenda para as pessoas que mais amam. Precisamos refletir sobre alguns pilares de nossas vidas e corrigir algumas rotas.

Minha filha mais velha, de quinze anos, há pouco tempo me falou algo que tocou fundo na minha alma. Ela disse: "Pai, você dá tantas conferências, cuida de tantas pessoas e conversa com tanta gente, mas não tem uma hora para conversar comigo." Seus olhos úmidos refletiam o quanto ela me amava. Suas palavras evidenciavam que a minha ausência era mais sentida do que eu imaginava.

Sempre fui muito afetivo com ela. Conversava sobre seus sonhos, conflitos e dificuldades. Ensinei-lhe a arte do diálogo, a pensar antes de reagir e a não ter medo de expressar as suas ideias. Agora, minha filha expressava que eu não tinha tempo para dialogar com ela num momento tão importante de sua vida. Um momento que não volta mais.

Parei, pensei nas suas palavras e reconheci que ela tinha razão. Olhei para seus olhos e, sem me defender com inúmeros argumentos, simplesmente pedi desculpas. Disse que ela não estava na periferia da minha história, mas nos principais capítulos da minha vida.

Declarei meu amor por ela e disse que iria corrigir meu erro. Às vezes, pelo excesso de responsabilidade, deixamos de lado as pessoas que mais amamos. Apesar de falar sobre a arte do diálogo com eloquência, não estava dialogando com minha querida filha.

Todos somos imperfeitos, todos erramos, mas o problema é o que fazer com nossas falhas. Se não as reconhecemos, nós as levamos para o túmulo. Se as reconhecemos, temos uma grande oportunidade de corrigi-las.

Muitos não têm coragem de olhar no espelho de sua alma e reconhecer as suas falhas. Por isso, não enxergam a dor dos outros, têm medo de chorar e refazer seus caminhos. Vivem como se fossem eternos, perfeitos e imutáveis. O mundo tem que girar em torno deles. São infelizes.

Refaça a sua agenda

Não temos consciência de que o tempo conspira contra a vida. O tempo passa tão rápido. Num instante somos jovens, e no outro, idosos. Pelo fato de não sabermos quando será nosso último suspiro existencial, devemos procurar viver com intensidade cada minuto de nossas vidas.

Revolucione sua qualidade de vida, aprenda a superar o cárcere da emoção e a falar o alfabeto mágico do amor. *Você tem se esforçado para aprender esse alfabeto?* O amor irriga a existência com sentido. Sem amor, a vida se transforma num canteiro de tédio.

Você nunca sabe o que acontecerá no dia de amanhã. O ideal não é esperar grandes mudanças para produzir grandes atitudes. Hoje você tem seus filhos, sua esposa, seu marido, seus pais, seus amigos e colegas de trabalho. Eles são um grande tesouro. Mas será que você tem explorado esse tesouro? Será que você não o enterrou no solo de suas preocupações, no terreno da sua ansiedade?

Saia para o labirinto e refaça a sua agenda. Saia para amar, conquistar novos caminhos, abrir novos horizontes, ser líder de seu próprio mundo. Faça do ambiente de trabalho um lugar aprazível, criativo e solidário. Quem trabalha angustiado rouba energia excessivamente do cérebro, vive fatigado. Quem trabalha com prazer renova suas forças, abre as janelas da sua mente e brilha na sua inteligência.

Se você tem filhos, abrace-os, curta-os, brinque com eles, pois de que adianta dar-lhes o mundo se o que mais precisam é de você mesmo? Quando errar ou tiver atitudes exageradas com eles, peça desculpas sem medo. Ensine-os a reconhecer as fragilidades deles reconhecendo as suas. Conte-lhes suas alegrias e seus momentos difíceis. Saia com eles não apenas para passear, mas principalmente para descobri-los. Há pais que vivem por décadas com seus filhos e não os conhecem. Os pais que são amigos dos filhos são ricos, mesmo que não possuam fortunas.

Se você tem pais vivos, penetre na história deles, beba da sua sabedoria, beije-os e usufrua de seu convívio o máximo que puder. Tenha tempo para eles como eles tiveram com você. Eles geraram sua vida, cuidaram de você e devem ser amados e honrados. Compreenda seus defeitos e as atitudes deles que lhe feriram. Perdoe-os, ame-os, procure-os.

Se você é casado, penetre no mundo de seu cônjuge, fale de seu amor por ele, tenha gestos surpreendentes para alegrá-lo. Chore junto. Compartilhe seus sonhos. Traga flores em dias inesperados. Faça elogios por pequenos comportamentos. O amor se irriga todos os dias no território da emoção. Sem cultivá-lo, a falência de uma relação, por mais excelente que seja, é quase inevitável.

A vida sem amigos é um céu sem andorinhas. Se não os tem, cultive-os. Se os tem, marque encontros com eles, procure saber como estão, compartilhe experiências. Cuidado! A vida estressante do mundo moderno tem nos roubado o melhor do nosso tempo. Planeje ver seus amigos com mais frequência e recrie bons momentos. Não seja vítima da solidão. Não se isole em casa, não se feche no mundo da internet. Um bom amigo vale mais do que uma grande fortuna e pode ser mais útil do que um bom psicoterapeuta.

A vida é um espetáculo de raríssima beleza. Contudo, só a aprecia quem é capaz de escrever os principais capítulos da sua vida nos momentos mais difíceis da sua história.

Tenha coragem para romper as algemas do medo e caminhar pelo labirinto. Percorra territórios nunca antes explorados. Se as oportunidades não surgirem, crie-as. Faça da sua vida uma poesia e uma grande aventura. Corrija as suas rotas, mas nunca desista das suas metas nem daquilo que você mais ama.

Se você nunca desistir, sua vida será diferente. Você deixará de ser controlado pelos seus problemas e se tornará o autor da sua própria história...

Uma poesia filosófica dedicada a você...

Finalizo com uma poesia filosófica que compus para retratar os pontos fundamentais que vimos neste livro. Desejo que você analise as frases de cada estrofe e possa usá-las em cada labirinto que atravessar e em cada experiência de força ou fragilidade, de coragem ou insegurança, de júbilo ou de angústia, que viver. Gostaria de dedicá-la exclusivamente a você.

O ESPETÁCULO DA VIDA

Que você seja um grande empreendedor.
Quando empreender, não tenha medo de falhar.
Quando falhar, não tenha receio de chorar.
Quando chorar, repense a sua vida, mas não recue.
Dê sempre uma nova chance para si mesmo.

Encontre um oásis em seu deserto.
Os perdedores veem os raios.
Os vencedores veem a chuva e a oportunidade de cultivar.
Os perdedores paralisam-se diante das perdas e dos fracassos.
Os vencedores começam tudo de novo.

Saiba que o maior carrasco do ser humano é ele mesmo.
Não seja escravo dos seus pensamentos negativos.
Liberte-se da pior prisão do mundo: o cárcere da emoção.
O destino raramente é inevitável, mas sim uma escolha.
Escolha ser um ser humano consciente, livre e inteligente.

Sua vida é mais importante do que todo o ouro do mundo.
Mais bela que as estrelas: obra-prima do Autor da vida.
Apesar dos seus defeitos, você não é um número na multidão.
Ninguém é igual a você no palco da vida.
Você é um ser humano insubstituível.

Por isso eu, Augusto Cury, desejo que você
Jamais desista das pessoas que ama.
Jamais desista de ser feliz.
Lute sempre pelos seus sonhos.
Seja profundamente apaixonado pela vida.
Pois a vida é um espetáculo imperdível.

Nota. A Editora Sextante e o autor autorizam os leitores a reproduzirem esta filosofia poética em forma de cartaz para se afixar ou distribuir em empresas, escolas e outras instituições, *desde que citada a fonte*. É permitido substituir o nome do autor na 5ª estrofe pelo nome de outra pessoa ou instituição.

CONHEÇA OS CLÁSSICOS DA EDITORA SEXTANTE

1.000 lugares para conhecer antes de morrer, de Patricia Schultz

A História – A Bíblia contada como uma só história do começo ao fim, de The Zondervan Corporation

A última grande lição, de Mitch Albom

Conversando com os espíritos e *Espíritos entre nós*, de James Van Praagh

Desvendando os segredos da linguagem corporal e *Por que os homens fazem sexo e as mulheres fazem amor?*, de Allan e Barbara Pease

Enquanto o amor não vem, de Iyanla Vanzant

Faça o que tem de ser feito, de Bob Nelson

Fora de série – Outliers, de Malcolm Gladwell

Jesus, o maior psicólogo que já existiu, de Mark W. Baker

Mantenha o seu cérebro vivo, de Laurence Katz e Manning Rubin

Mil dias em Veneza, de Marlena de Blasi

Muitas vidas, muitos mestres, de Brian Weiss

Não tenha medo de ser chefe, de Bruce Tulgan

Nunca desista de seus sonhos e *Pais brilhantes, professores fascinantes*, de Augusto Cury

O monge e o executivo, de James C. Hunter

O Poder do Agora, de Eckhart Tolle

O que toda mulher inteligente deve saber, de Steven Carter e Julia Sokol

Os segredos da mente milionária, de T. Harv Eker

Salomão, o homem mais rico que já existiu, de Steven K. Scott

Transformando suor em ouro, de Bernardinho

Para saber mais sobre os títulos e autores
da Editora Sextante, visite o nosso site.
Além de informações sobre os próximos lançamentos,
você terá acesso a conteúdos exclusivos
e poderá participar de promoções e sorteios.

sextante.com.br